Karl Jaspers
Freiheit und Wiedervereinigung

SERIE PIPER
Band 1110

Zu diesem Buch

Die politischen Ereignisse seit dem 9. November 1989 beherrschen die Diskussion in beiden Teilen Deutschlands, aber auch in vielen Ländern der Welt. Der Philosoph Karl Jaspers hat in seinem Buch »Freiheit und Wiedervereinigung« schon 1960 Dinge gesagt, die auch nach dreißig Jahren noch Bedeutung haben und die aktuelle Diskussion bereichern können. Deshalb wird sein Buch nochmals aufgelegt. Es ist Pflichtlektüre für alle, die sich am Nachdenken über Deutschland beteiligen.

Zur Vorgeschichte: Im August 1960 hatte Jaspers in einem Fernsehgespräch mit Thilo Koch die Forderung nach Wiedervereinigung für »politisch und philosophisch irreal« erklärt. Sie orientiere sich am Maßstab des Bismarck-Staates und nicht am allein entscheidenden Maßstab der Freiheit Ostdeutschlands. Quer durch die Parteien brach ein Sturm der Entrüstung los, über den Jaspers erstaunt war. Er präzisierte seine Vorstellungen zur Wiedervereinigung in fünf Artikeln in der »Zeit« und erweiterte diese schließlich zu einem Buch, das noch 1960 erschien. Jaspers forderte ein Nachdenken über folgende Fragen: Was wäre, wenn die Sowjetunion sich eines Tages ihres europäischen Erbes erinnerte? Wenn Ostdeutschland freie Wahlen hätte? Wenn die Bundesrepublik Einheit vor Freiheit setzte? Wenn es zu einer Konföderation zweier unabhängiger deutscher Staaten käme? Jaspers riet, hierüber nachzudenken, damit man nicht eines Tages von den Ereignissen überfahren würde. Schließlich: «Würde die Wiedervereinigung aus dem Geist des deutschen Machtwillens erfolgen, dann wäre sie sogar ein Unheil.«

Karl Jaspers, geboren 1883 in Oldenburg, studierte zuerst Jura, dann Medizin; Promotion 1909 in Heidelberg. Während seiner Assistentenzeit an der Psychiatrischen Klinik habilitierte er sich für Psychologie. Ab 1916 war er Professor für Psychologie, ab 1921 für Philosophie an der Universität Heidelberg. 1937 wurde er – bis zu seiner Wiedereinsetzung im Jahre 1945 – seines Amtes enthoben. Von 1948 bis 1961 war er Professor für Philosophie in Basel, wo er 1969 starb. Jaspers gilt als einer der Hauptvertreter der Existenzphilosophie. Seine Schriften – es sind über 30 Bände – liegen in mehr als 600 Übersetzungen vor.

Karl Jaspers

Freiheit und Wiedervereinigung

Über Aufgaben deutscher Politik

VORWORT VON WILLY BRANDT

Mit einer Nachbemerkung zur Neuausgabe
von Hans Saner

Piper
München Zürich

Von Karl Jaspers liegen in der Serie Piper außerdem vor:

Einführung in die Philosophie (13)
Kleine Schule des philosophischen Denkens (54)
Vernunft und Existenz (57)
Der philosophische Glaube (69)
Die maßgebenden Menschen (126)
Augustin (143)
Plato (147)
Philosophische Autobiographie (150)
Spinoza (172)
Die Atombombe und die Zukunft des Menschen (237)
Wahrheit und Bewährung (268)
Vom Ursprung und Ziel der Geschichte (298)
Schelling (341)
Denkwege (385)
Psychologie der Weltanschauungen (393)
Der Arzt im technischen Zeitalter (441)
Nikolaus Cusanus (660)
Die Schuldfrage (698)
Max Weber (779)
Wohin treibt die Bundesrepublik? (849)
Die großen Philosophen (1002)
Notizen zu Martin Heidegger (1048)
Die Sprache / Über das Tragische (1129)

Über Karl Jaspers liegt in der Serie Piper vor:
Karl Jaspers – Arzt, Philosoph, politischer Denker (679)

ISBN 3-492-11110-6
Neuausgabe 1990
2. Auflage, 11.–16. Tausend August 1990
(1. Auflage, 1.–6. Tausend dieser Ausgabe)

Umschlag: Federico Luci,
unter Verwendung eines Fotos von Boris Spahn
Satz: R. Oldenbourg Graphische Betriebe GmbH, München
Druck und Bindung: Clausen & Bosse, Leck
Printed in Germany

INHALTSÜBERSICHT

VORWORT

So selbstverständlich ist es nicht, daß dreißig Jahre später noch Beachtung findet (und verdient), was einer, wenn er auf die achtzig zugeht, zur künftigen Politik seines Landes beschwörend zu Papier bringt. Dabei hielt Karl Jaspers, was er vorbrachte, »nicht etwa für das einzig Wahre«. Er meinte, auch Philosophen möchten gehört werden, und sie würden gehört. Es wäre ja auch noch schöner, wollte man ausgerechnet denen, die mehr als andere mit Nachdenken befaßt sind, den Mund verbieten. Wo man es doch tat, kam nie Gutes dabei heraus.

Die Aufsätze, in denen sich Jaspers zur Deutschen Frage äußerte, begegneten 1960 leidenschaftlicher Kritik, weil der Ruf nach Wiederherstellung der staatlichen Einheit nicht mit pflichtgemäßer Begeisterung weitergetragen wurde. Stattdessen: Die politische Freiheit sei eine absolute Forderung, die Wiedervereinigung eine relative. Die Aufregung über diese Ketzerei hätte sich zügeln lassen sollen, wäre des betagten Philosophen »Rangordnung der Aufgaben« aufmerksam oder überhaupt zur Kenntnis genommen worden.

An erster Stelle stand für ihn die »Rettung des Daseins der Menschheit«. Das hieß damals vor allem, die Gefahr eines neuen, mit Atombomben ausgetragenen Krieges abzuwenden; heute wären die anderen existenzbedrohenden, vor allem die verspätet in unser Bewußtsein gerückten ökologischen Gefährdungen einzubeziehen. An die zweite Stelle setzte er die Sicherung der Freiheit; auf sie habe man sich zu konzentrieren. Danach kam für ihn die Idee des *einen* deutschen Staates, nicht irgendeines, sondern eines solchen, der »seinen Ort im Ganzen des Abendlandes« habe. Sollte heißen: im Westen, in einer europäisch-bundesstaatlichen, fest mit Amerika verbundenen Ordnung. Von einem deutschen Sonderweg wollte er logischerweise nichts wissen. Ob unsere nationalstaatliche Einheit noch als ein wesentlicher oder gar höchster politischer Wert gelten dürfe? »Freiheit für die Ostdeutschen« werde sich zunächst ohnehin nur unter Verzicht auf Wiedervereinigung erreichen lassen. Aber vielleicht könnte man es zuwegebringen, daß anstelle der Vergewaltigung durch russische Fremdherrschaft ein freies Ostdeutschland als neutralisierter Staat errichtet werde. Und zwar so, daß die Grenzen kaum noch spürbar seien.

Damit wären wir nicht weit von dem Zustand entfernt gewesen, der sich dreißig Jahre später, zu Beginn des Jahres 1990, vorübergehend in der

DDR eingestellt hatte. Im übrigen kam es erstens anders und zweitens, als man gedacht hatte. Das Ende des anderen Staates auf deutschem Boden kam nicht in erster Linie als Ergebnis einer besonders erfolgreichen deutschen Politik, sondern – ohne die Kräfte der Erneuerung zwischen Rostock und Plauen oder die ostpolitische Auflockerung oder den bundesrepublikanischen Anteil an der Attraktivität der Europäischen Gemeinschaft zu unterschätzen – als Nebenprodukt jener weltweiten tatsächlichen und bewußtseinsmäßigen Veränderungen, die in den Zusammenbruch des sowjetischen Weltmachtsystems mündeten.

Im übrigen war manchen von uns, die wir Ende der sechziger, Anfang der siebziger Jahre – gegen viel Ignoranz und Impertinenz – einer neuen Politik zum Durchbruch verhalfen, die Nähe zu wesentlichen Jaspersschen Postulaten durchaus bewußt: Der Vorrang der Freiheit war für uns unbestritten, so auch das klare Ja zur europäischen Einigung und, unter den gegebenen weltpolitischen Bedingungen, zum westlichen Bündnis. Wir waren *nicht* der Meinung, daß sich der Auftrag zur Vereinigung (in der Präambel zum Grundgesetz aus guten Gründen ohne ein »Wieder«!) auf das Territorium des Bismarckstaates zu beziehen habe oder daß es einem vernünftigen Zweck dienen könne, die bestätigende Hinnahme der neuen Grenze zu Polen in der Schwebe zu halten. Anders als Karl Jaspers zog unsereins *nicht* in Erwägung, die innerdeutsche Grenze mehr denn als de facto anzuerkennen. Stattdessen schrieben wir unser nationalpolitisches und europäisches Ziel – zusätzlich zu dem, was gemeinsam mit den Westmächten und in gemeinsamen Verlautbarungen mit anderen Staaten formuliert worden war – in jenen Briefen zur Deutschen Einheit fest, die 1970 dem Vertragswerk mit der Sowjetunion und 1972 dem Grundlagenvertrag mit der DDR-Regierung beigefügt wurden.

Wieder mit Jaspers war man der Überzeugung, daß technische Regelungen mit den für den anderen Teil Deutschlands Verantwortlichen legitim seien und daß gerade gegenüber schwierigen Partnern der Versuch des Gesprächs immer wieder unternommen werden müsse. In seinen Worten: Miteinanderreden – gerade mit den Kommunisten, den Russen – sei die große Aufgabe. Außerdem gab er die Hoffnung nicht auf, daß in einer neuen Weltlage die Führung der Sowjetunion ihren Willen einmal ändern werde. Ja, er rechnete schon damit, daß Rußland sich »langsam in sich selbst verwandeln« könnte...

Ein deutliches Fragezeichen setze ich hinter die These, der Nationalstaatsgedanke als solcher sei zu *dem* Unheil Europas (»und nun auch aller

Kontinente«) geworden – abendländische Selbstbehauptung zwinge nicht nur dazu, auf nationalstaatliche Souveränitätsansprüche zu verzichten, sondern auch die Teilung anzunehmen – gleichsam als Haftung für das, was NS-Deutschland anrichtete. Später hat solches Denken über Schuld und Sühne seine Fortsetzung in der ebenso gutgemeinten wie abwegigen Formel gefunden, das Wissen um Auschwitz verbiete die deutsche Einheit.

Einer, der schon *vor* dem Zweiten Weltkrieg für Europa war und den, bei allen Unzulänglichkeiten und Rückschlägen, die Ausdehnung vom Vaterländischen zum Europäisch-Communautairen tief befriedigt, darf vielleicht doch fragen, ob nicht die Verantwortung für das über die europäischen Völker einschließlich des eigenen gebrachte Unheil allzu lange vereinfacht und verzerrt worden ist. Mit anderen Worten: War es wirklich nur der (übersteigerte) Nationalstaatsgedanke oder waren es nicht vielmehr in den Besitz der Macht gelangte und durch einen allzu großen Teil des Volkes geförderte politische Verbrecher, die Europa soviel Böses zufügten und das eigene Land bis an den Rand des existentiellen Abgrunds führten?

Vor dieser Art von Verantwortung ist manch einer, nicht nur in Deutschland, davongelaufen, indem er nur die Mängel des Nationalstaats anprangerte und dessen Überwindung beschwor. Und allzu oft wurde dabei vergessen: Das Schlimme am sogenannten Nationalsozialismus war nicht nur seine Menschen- und Geistfeindlichkeit, sondern eben auch, daß er sich in hohem Maße am eigenen Volk verging, also anti-national war. Die eigene Verantwortung ist noch einmal gefordert, wenn es innerhalb der (sich erweiternden) Europäischen Gemeinschaft *ein* Deutschland gibt. Dessen moralische Qualität wird nicht *dadurch* bestimmt, ob es weniger oder mehr als siebzig Millionen Einwohner hat.

Karl Jaspers hatte natürlich nicht vergessen, wie die Weimarer Republik zugrundeging. Aber die daraus abgeleitete Lehre blieb blaß, und das Urteil über die Männer vom 20. Juli 1944 (»menschliche Größe und politische Irrung«) wirkte nicht gerecht. Denn erstens *hatten* die Kreisauer um den Grafen Moltke und Sozialdemokraten vom Schlage Julius Leber und die von leidenschaftlichem Pflichtbewußtsein erfüllten Staatsdiener wie Adam von Trott durchaus eine europäische Orientierung, und zweitens gereicht es ihnen und ihren Mitverschworenen zum weiterwirkenden Ruhm, daß sie sich – auch als bedrückte deutsche Patrioten – mit dem Einsatz ihres Lebens gegen die unsägliche Schande auflehnten, die die Freveltäter über Volk und Vaterland gebracht hatten.

Zum Nachdenken über die Vergänglichkeit tagespolitischer Werturteile wird der heutige Leser auch dann eingeladen, wenn er zur Kenntnis nimmt, wie kritisch sich Jaspers vor dreißig Jahren zu unserem Grundgesetz einließ. Bei allen sonstigen Meinungsverschiedenheiten zu Fragen der sich real vollziehenden Einheit hat sich ein hohes Maß an Übereinstimmung darüber herausgestellt, daß das Grundgesetz der Bundesrepublik in allem Wesentlichen – Anpassungen und Ergänzungen vorbehalten – als Verfassung des geeinten Deutschland dienen werde. Der berühmte Philosophieprofessor hatte zwar auch gemeint, »viele Teile des jetzigen Grundgesetzes würden als vortrefflich übernommen« werden können, aber die Verfassung eines neuen Staates auf deutschem Boden sei das noch nicht.

Und warum nicht? Weil der »Geist der volksfremden parlamentarischen Verfassung« – gemeint ist die Zeit vor Hitler – derselbe geblieben sei. Und weil durch das Grundgesetz »ein Zug von Ängstlichkeit und Subalternität« gehe. Er meinte jene »Denkungsart« der Parteien, über deren »Diktatur« die Bevölkerung nachdenken und von der sie sich befreien möge. Aus dem Grundgesetz sollten »die Zweideutigkeiten seiner Herkunft« – gemeint ist die Art und Weise, wie auf Initiative der westlichen Besatzungsmächte die Landtage den Parlamentarischen Rat beschickten – herausgelöst werden; Wurzeln im Volk habe es nicht gewinnen können. Es ist nützlich, wenn auch nicht sonderlich ermunternd, auf diese Weise an die distanzierte, sich selbst isolierende Haltung deutscher (im konkreten Fall: herausgehobener) Bildungsbürger erinnert zu werden. Hätte der Verfasser es noch erlebt, würde er sich freilich, gleich manchen anderen, überzeugt haben, daß Bonn eben doch nicht zu einer Weimarer Neuauflage wurde. Und daß es ohne Parteien nun einmal nicht ging – bei allen Fehlentwicklungen, zu denen sie tendieren, einige mehr als andere.

Es ist gut, daß wir die Besorgnisse von vor dreißig Jahren zu einem guten Teil hinter uns haben lassen können. Die deutsche Einheit konnte nicht frei von Belastungen bleiben, doch sie hat sich nicht im Gegensatz zur Freiheit, sondern in deren Ausdehnung verwirklicht; die nationale Vereinigung steht nicht in Gegensatz zum Bau der Europäischen Union (oder Konföderation), sondern in deren Dienst. Karl Jaspers könnte sagen, er habe nicht vergeblich von der neuen Chance gesprochen, politische Freiheit durch Mitverantwortung verwirklichen zu helfen. Das ist nicht wenig.

Bonn, im Mai 1990 Willy Brandt

VORWORT

Diese Schrift bringt fünf in der Wochenschrift »Die Zeit« (August und September 1960) veröffentlichte Aufsätze, ergänzt durch Zusätze und vermehrt um weitere drei Aufsätze, dazu durch den Text eines Interviews, das zum Anlaß lebhafter Angriffe und Zustimmungen wurde.

Meine Erörterungen entspringen der politischen Denkungsart, die ich ausführlich in meinem Buche »Die Atombombe und die Zukunft des Menschen« entwickelt habe. Wie dort die Atombombe nur der Ausgangspunkt war, so ist es hier die Frage der deutschen Wiedervereinigung.

Wenn ich im Blick durch geöffnete Fenster ausspreche, was ich sehe, so biete ich es zur Prüfung an. Irrtümer im einzelnen sind unschwer korrigierbar. Unzulänglichkeit dieser politischen Denkungsart selber aber könnte mir überzeugend aufgewiesen werden, wenn ein politisches Philosophieren den weiten Horizont und die letzten Motive, um die ich mich bemühe, besser zur Geltung brächte. Meinungen zu haben ist leicht, sie zu fundieren die Arbeit besinnlicher Erfahrung. Wesentlich aber werden sie erst auf dem Grunde eines Bewußtseins von der Würde des Menschen und seiner Verantwortung.

Basel, Oktober 1960 Karl Jaspers

EINLEITUNG

1. Die Weltsituation und die Rangordnung der Aufgaben

a) Die drohende Vernichtung

Die Geschichte der Menschheit ist in den Augenblick ihrer größten Gefahr (nämlich des Endes durch atomare Vernichtung) und ihrer größten Chance (nämlich der Wandlung des Menschen zur Vernunft) gelangt.

Viele Menschen verwirklichen das Wissen von der Gefahr nicht durch einen Wandel ihrer inneren Motivation. Sie leben gedankenlos, produzieren und konsumieren. Aber in diesem Wirbel vermögen sie doch nicht zur Freude und zum Vertrauen zu kommen.

Andere sehen die Zukunft nur pessimistisch. Es hilft ja doch nichts mehr. Die Götter – meinen sie – haben den Menschen die Vernunft genommen, um sie zu verderben. Der gewaltige Umtrieb gibt alle Zeichen seines Rasens in die Zerstörung kund. Demokratie ist unmöglich, Diktatoren können in seltenen Glücksfällen für ihren Bereich vielleicht einmal zweckmäßig handeln. Aber alles ist auf die Dauer vergeblich.

Einige sind einsichtig und doch nicht ohne jede Hoffnung. Solange noch eine Chance ist, wollen sie diese ergreifen. Der Gang in die Vernichtung scheint ihnen nicht völlig unentrinnbar, denn der Mensch ist zur Vernunft geboren. Ihre Antriebe können durch Gedanken und Taten einiger, vieler, schließlich der Mehrzahl gekräftigt werden und zum Siege kommen. Zaubereien des verfälschten Denkens und blindwütige Antriebe lassen sich erhellen und dadurch schwächen.

b) Totale Herrschaft und Freiheit

Gleichzeitig mit der Gefahr der atomaren Vernichtung ist die Welt gespalten durch zwei Prinzipien: das der totalen Herrschaft und das der politischen Freiheit.

Der Totalitarismus will durch Bündnis mit allen Unzufriedenen, Schlechtweggekommenen, unter dem Schein der Hilfe sie um ihre mögliche Freiheit betrügen, durch Gewalt die Welt sich unterwerfen (China spricht es offen aus, die Sowjets verbergen es unter der Koexistenzthese). Das Prinzip der politischen Freiheit dagegen will überzeugen, alle Völker und Menschen zur freien Selbstbestimmung ihres Lebens bringen und schließlich in einer Weltkonföderation einigen.

Beide Prinzipien haben nirgends ihre volle Verwirklichung. Totale

Herrschaft findet ihre Grenze an menschlichen, aus den Massen ihr dunkel widerstehenden Ansprüchen. Die politische Freiheit ist eine Staats- und Gesellschaftsform, die eine Chance gibt, daß Freiheit sich aus Korruption und Selbstvergessenheit immer wieder erhebe.

Die totalitäre Welt ist aggressiv, die freie besteht auf Verträgen.

Für uns ist der Totalitarismus gegenwärtig in der Sowjet-Gestalt und der Knechtung Ostdeutschlands. Die Aufgabe der Selbstbehauptung des freien Abendlands koinzidiert vollkommen mit den Lebensinteressen der Bundesrepublik.

c) Die Bundesrepublik

Mit der Menschheit im ganzen steht auch die Bundesrepublik in der Gefahr des endgültigen Endes von Dasein und Freiheit. Mit ihr hat sie ihre Chance des Anfangs in eine neue Zukunft des Menschen.

Die Bundesrepublik hat ihre Aufgabe, an der sie all ihr Tun und Leben messen sollte, nur innerhalb des Ganzen, zunächst des Abendlandes, dann der Menschheit. Die Weltsituation gegenwärtig zu wissen ist Voraussetzung ihrer sinnvollen Politik.

Die Selbstbehauptung des Abendlandes wird unmöglich gemacht durch den Souveränitätsanspruch der Nationalstaaten. Es ist eine aus Einsicht in das Ganze folgende Willensentscheidung, auf den nationalstaatlichen Souveränitätsanspruch zu verzichten. Das bedeutet für die Bundesrepublik: ist die nationalstaatliche Einheit Deutschlands noch ein höchster politischer Wert, ja überhaupt noch ein wesentlicher Wert? Ist die Bejahung des nationalstaatlichen Dranges nicht Selbsttäuschung über das, was heute ist, und entspringt ihr nicht die Verkehrung der Rangordnung der Aufgaben?

Die Bundesrepublik hat die große Chance durch die Verwirklichung der demokratischen Idee im Rahmen zunächst des Abendlandes. Sie könnte der Welt ein neues Beispiel politischer Freiheit hinzufügen. Sie könnte, nachdem Deutschland den größten Exzeß im Nationalismus vollzogen hat, nun die klarste Einsicht in den heute notwendigerweise nur noch unpolitischen Charakter des Nationalbewußtseins finden. Denn das durch nationalstaatliche Ansprüche gespaltene Abendland ist in dieser Gestalt zur Selbstbehauptung unfähig. Die Bundesrepublik würde die Teilnahme an dieser rettenden Wandlung und deren Vorantreiben versäumen, wenn in ihr die gar nicht in Angriff zu nehmende Aufgabe der Wiedervereinigung das politische Bewußtsein erfüllt. Dann würde die wirklich gemeinsame Aufgabe der Bundesbürger, ein freies demokratisches Leben zu gestalten, ersetzt durch die täuschende

Gemeinschaft eines Zieles, der Wiedervereinigung, das praktisch keine Aufgabe stellt, vielmehr innenpolitisch ohne andere Folge ist als Reden, Zusammenkünfte, Feierlichkeiten, Massenzustimmungen, Beifallslärm und Händeschütteln.

Zusammenfassung über die Rangordnung der Aufgaben:

1. Zuoberst steht die Idee des Weltfriedens in Freiheit durch eine nicht staatlich fixierte Weltkonföderation (vgl. mein Buch über die Atombombe). Die Erfüllung dieser Aufgabe brächte die Rettung des Daseins der Menschheit.

2. Dann folgt die Idee der Selbstbehauptung des Abendlandes und die Entfaltung seiner Freiheit gegen die für die Menschenwürde tödliche Gefahr totaler Herrschaft, die ihm von außen und von innen droht. Die Erfüllung dieser Aufgabe brächte die Rettung der Freiheit für die Menschheit.

3. Schließlich ist maßgebend die Idee eines deutschen Staates, der seinen Ort im Ganzen des Abendlandes und mit diesem in der Menschheit hat, die Idee der Bundesrepublik, die ihre Bedeutung durch die Entwicklung freier demokratischer Lebensformen in einer deutschen geschichtlichen Einmaligkeit gewinnt. Die Erfüllung dieser Aufgabe brächte den Sinn in den neuen deutschen Staat.

2. Philosophie und Politik

Ich spreche nicht von der Tagespolitik, wenn ich auch tagespolitische Ereignisse in ihrem möglichen Sinn beleuchte. Zur Tagespolitik braucht man Informationen. Für das Erfassen der Grundtatsachen, des relativ Beständigen, des weiteren Horizonts genügen die Nachrichten der Presse, die Berichte von Freunden, die Gespräche mit hier und dort Informierten.

Ich mache keine politischen Vorschläge für etwas, das in bestimmt definierter Gestalt jetzt zu tun wäre. Ich nehme nicht teil am Wahlkampf. Würden einzelne Erörterungen für solche Zwecke herausgegriffen, so ist das nicht der Sinn meiner Ausführungen und geschieht auf Verantwortung der anderen. In die von mir versuchte politische Denkungsart im ganzen einzutreten hat zur Folge, daß hier in der Schwebe bleibt, was nur in Entschluß und Tat, nicht schon im Denken Wirklichkeit gewinnt.

Auf den Vorwurf, die Philosophie sei weltfremd, irreal, daher in der Politik nichts als Traum, Utopie, Torheit, ist die Antwort, man möge ihr die Realitäten zeigen, die sie verkennt. Wer philosophiert, will wissen, was faktisch ist, will das Reale nicht übergehen, dann aber vor allem: das Mehr-als-Reale, von dem die politische Realität mitbestimmt wird, wenn sie Dauer, Sinn und Größe gewinnt, nicht verraten.

Im Raum eines Volkes haben die Philosophen ihren Ort. Sie möchten gehört werden, und sie werden gehört. Sie wissen nicht den konkreten Rat für den Augenblick, aber sie möchten bei diesem Rat mit ihrer Denkungsart zugegen sein. Philosophieren vertieft die praktische Urteilskraft. Der »Irrealismus« der Philosophie kann sich auf die Dauer als der treffendere Realismus erweisen. Man verwechsle Philosophen nicht mit Staatsmännern, die den Rat für das Gegenwärtige wissen. Aber man nutze die philosophische Denkungsart als Licht, mit dem in konkreter Situation über die wesentlichen Dinge die Orientierung besser gelingt. Die Motivationen werden heller, die Realitäten klarer. Man kann solche Gedanken nicht abtun mit Sätzen wie: sie seien philosophisch interessant, aber nicht Gegenstand unserer Politik. Sie sind in der Tat nicht Gegenstand, aber Bewegungskraft der Politik.

Die Trennung des philosophischen Denkens als des spekulativen, träumenden, utopischen Denkens mit einem vielleicht eigenen geistigen Reiz von dem Denken der Realität, die damit nichts zu tun habe, halte ich für falsch. Zwar nicht die Philosophieprofessoren, aber die Philosophie beherrscht die Welt des Menschen, sei es in schlechter, verschleierter, bewußtloser, oder in hoher, geordneter, klarer Gestalt.

Philosophie, die die Berührung mit der Realität scheut, bleibt unverbindlich. Eigentliche Philosophie tritt in das Dasein selbst.

Philosophie denkt auf die höchsten Möglichkeiten hin, möchte das Gemeine überwältigen, möchte das Wesenlose des Betriebs durchdringen. Sie möchte den Aufschwung fördern, der aus dem Ethos des Volkes einen wahrhaftigen Staat heute in der Situation der fast erdrückenden Weltgefahr hervorbringen kann.

In dem geistigen Haushalt des Volkes muß es Spannungen geben. Der Staatsmann handelt und denkt, was für diesen Augenblick notwendig ist, mit der Verantwortung für die praktischen Folgen. Der Philosoph denkt mehr als das Aktuelle und handelt nicht. Er ergeht sich in Möglichkeiten mit der einzigen Verantwortung für den Ernst des Weges zur Wahrheit hin. Er hat mit seiner Meinung für das Tun des Tages kein Gewicht, um so mehr aber die Verantwortung für die von ihm mithervorgebrachte Vorstellungswelt, für die Folgen in der politischen Denkungsart, für die Zielsetzungen im ganzen.

Die Freiheit der Demokratie verlangt die Öffentlichkeit, auch dann, wenn der handelnde Staatsmann, für eine kurze Frist, schweigen will und vielleicht muß.

Das in Freiheit erlaubte öffentliche Denken kann wirken oder zerrinnen. Dieses Denken wirft sich in den Wind, von dem es nicht wissen kann, wohin er es trägt. Es hilft, auf längere Zeit gerechnet, dem Staatsmann, wenn in der Bevölkerung das politische Denken ein höheres Niveau erreicht; für ein gegenwärtiges Ziel kann es ihm nicht helfen.

Dieses freie Denken möchte dem Staatsmann verwehren, daß er Diktator wird. Er muß es werden für ein hohes Ziel, wenn die Menschen zu dumm bleiben, um es zu begreifen, und kann es auf seinem Wege dann doch nicht erreichen. Er braucht nicht und er darf nicht mehr Diktator werden, wenn die Urteilskraft eines Volkes ihn trägt, weil es denken gelernt hat.

I. GRUNDGEDANKEN ZUR WIEDERVEREINIGUNG UND FREIHEIT

1. Historische Erinnerung:

In den dreißiger und vierziger Jahren des 19. Jahrhunderts wuchs die deutsche politische Bewegung, die im Frankfurter Parlament ihren großartigen geistigen Gipfel hatte. Die Motive dieser Bewegung waren nicht einheitlich. Die entscheidenden waren zwei: die politische Freiheit aller deutschen Staaten und die territoriale Einheit (von der Maas bis an die Memel, von der Etsch bis an den Belt). Jacob Burckhardt, der um 1840 in Deutschland studierte, an der Bewegung mit seinem Herzen beteiligt war (sogar in Berlin in den polizeilichen Listen als Verdächtiger geführt wurde), konnte damals in einem Briefe schreiben: »Meine Lebensaufgabe sehe ich darin, den Schweizern zu zeigen, daß sie Deutsche sind.« Dabei leitete ihn die selbstverständliche Voraussetzung, daß die Freiheitsbewegung auf eine große konföderative deutsche Einheit gehe. Erst die Freiheit, dann diese konföderative Einheit. Aber längst vor 1848 sah er, daß die faktischen Kräfte den umgekehrten Weg gingen: erst die Einheit (das heißt Macht), dann die Freiheit (das heißt politische Würde). Er distanzierte sich völlig und hat nie im Leben jenes merkwürdige Briefwort wiederholt.

Dieser andere Weg ging sinngemäß über die Gewalt, durch »Blut und Eisen« zur Einheit. Die politische Freiheit wurde nicht erreicht, sondern erst im Kollaps 1918 errichtet als formale Institution, die in der Ohnmacht helfen sollte. Sie entsprang nicht dem kraftvollen opferbereiten Willen zur politischen Freiheit, deren Wesen auch damals nur von wenigen Deutschen begriffen wurde.

Seit 1866 wurde der Weg zur Einheit und Macht durch Gewalt auch von der Mehrzahl der deutschen Liberalen mit Begeisterung begrüßt. Da in jenem Zeitalter der Rechtsstaat und die persönliche Freiheit weitgehend wirklich waren, merkten die meisten nicht, daß die politische Freiheit keineswegs errungen war. Ein Scheinkonstitutionalismus täuschte sie vor. Die wirkliche Teilnahme der gewählten Volksvertreter an der politischen Verantwortung blieb unmöglich. Daher konnte eine Schicht in der politischen Praxis erzogener Staatsmänner sich nicht entwickeln. Aber noch war die Chance der Freiheit nicht verloren, wenn die Deutschen einsahen, was sie ist, wenn sie sie wollten und um sie kämpften.

Nach dem ersten Weltkrieg war der Bismarckstaat in seinem Territorium (trotz Danzig und Korridor) im wesentlichen erhalten. Man durfte im Bewußtsein der Wiedererstehung dieses kleindeutschen Einheitsstaates, wenn nun auch in bescheidener Bedeutung leben. Die weltpolitischen Mittelpunkte der Macht hatten sich nach Washington und Moskau verlagert. Unter Verkennen der Lage, erfüllt von wilden Träumen ohne Augenmaß, verwirrt durch spielerische, sensationsbedürftige Intellektuelle in Jahren wirtschaftlicher Bedrängnis, geschah das Ungeheuerliche, nicht Tragische, sondern Wahnsinnige und dann Verbrecherische, das den zweiten Weltkrieg provozierte und die territoriale Einheit des Bismarckstaats verspielte. Heute hat die Weltlage das Verhältnis der Mächte völlig verändert. Die Bundesrepublik Deutschland ist ein winziger Staat, der nur im Schutz und im Bunde mit den Großen sich halten kann. Ostdeutschland ist kein Staat, sondern ein von Fremdherrschaft vergewaltigtes Gebiet.

In dieser Lage sind die Fragen: Wie sind unsere Landsleute im Osten aus der Sklaverei zu retten? Ist der einzige Weg die Wiedervereinigung zum Territorium des Bismarckstaates (mit den weiteren Konsequenzen, die Oder-Neiße-Linie als Grenze nie anzuerkennen)?

Ich antworte:

1. Die Einheit, auf die es heute ankommt, ist die konföderative Einheit Europas und Europas mit Amerika. Ob in dieser großen, für die Selbstbehauptung aller freien Staaten unerläßlichen Einheit ein oder mehrere deutsche Staaten konföderative oder neutralisierte Glieder sind, ist für das gemeinsame Schicksal unerheblich.

2. Die Forderung der Wiedervereinigung ist daraufhin zu prüfen, ob sie der aussichtsreichste Weg zur Befreiung unserer deutschen Landsleute ist, oder ob sie gar eine Erschwerung sein könnte.

2. »Unteilbares Deutschland«

Ich bin mir bewußt, wie sehr mit solchen Sätzen liebgewordenen Vorstellungen ins Gesicht geschlagen wird. Ich möchte nicht kränken, aber meinen Leser beschwören, den Wirklichkeiten ins Angesicht zu blicken und die eigenen Gefühle zu prüfen und nichts unbedacht als unantastbar stehen zu lassen. Denn das, was im Namen »Deutschland« liegt, ist politisch im Wandel, heute im tiefstgehenden Wandel begriffen.

Wenn ich frage: was heißt in der pathetischen Wendung »unteilbares Deutschland« eigentlich »Deutschland«? so wird mir die Gefahr der Frage bewußt. Lese ich den verehrten Alt-Bundespräsidenten Heuss, dem wir so viel verdanken und dessen Meinungen repräsentativen

Charakter haben, dann spüre ich die Tragweite der in meinem Interview fühlbar gewordenen Auffassungsweisen. Sie sind zwar vielen gemeinsam, sind längst vorhanden, aber noch ungewohnt und haben im Augenblick so merkwürdig schockiert. Er sagte (in der gleichen Reihe der Fernsehsendungen) am 29. 12. 1959: »Ich bin nämlich der Erfinder des Wortes ›Unteilbares Deutschland‹ . . . darin ist ein doppeltes Pathos, — nämlich das Pathos, daß die Vergangenheiten Traditionen seelischer Natur für beide gemeinsam geschaffen haben, also eine Sicherung im Vergangenheitsbewußtsein, und dann doch eine moralische Forderung an die Welt. Das sollte beides in diesem Worte mitschwingen.«

Beides muß aus dem Gedankenzusammenhang, der mir bisher überzeugend geworden ist, anders gesehen werden.

Dieses Deutschland, das im pathetischen Sinne unteilbar sein soll, ist das Territorium des Bismarckstaates, der 75 Jahre bestanden hat. Es ist »Kleindeutschland«, gemessen an jenem großen, unsere Seele erfüllenden Deutschland, das es seit tausend Jahren gibt. Es hat politisch viele Bildungen hervorgebracht, war nie in einem modernen nationalen Sinn (wie Frankreich und England) eine Einheit, war mehr oder weniger als das von deutschsprechenden Menschen besiedelte und geformte Gebiet Mitteleuropas (das in einem Augenblick des ersten Weltkriegs einmal Friedrich Naumann in einer großartigen politischen Vision mit romantischer Hoffnung vor Augen stand), dieses Mitteleuropas mit seinen deutschen Landschaften, vielfacher Geschichte und vielfacher Heimat. Die »Tradition seelischer Natur«, die das »unteilbare Deutschland« meint, betrifft nur eine kurze Zeitspanne, geistig eine Spanne langsamen Niedergangs trotz zahlreicher großer Menschen, die ausnahmslos etwas Gebrochenes, nicht etwas für das sich »Reich« nennende Kleindeutschland Repräsentatives hatten. Dieses Deutschland ist das unerer Jugend, das noch Möglichkeiten hatte und ganz anders hätte werden können, daher noch mit Hoffnungen in die Zukunft blickte. Die einstige Gegenwärtigkeit dieses bestimmten, beschränkten, geistig und moralisch nicht zu seinen großen Zeiten gehörenden Deutschlands beherrscht unser Inneres heute noch.

Das Zweite, die »moralische Forderung an die Welt«, scheint mir hier an falsche Stelle gerückt. Diese Forderung ist die der verläßlichen Solidarität in der gemeinsamen Selbstbehauptung, und die der unter der Führung dieser Solidarität stehenden freien Selbstbestimmung. Der Unterschied zwischen deutschen, partikularen Interessen und dem

Interesse der gesamten freien Welt, die beide dort, wo es um wirklich Wesentliches geht, zusammenfallen, kam vor einiger Zeit in einem Satze des Bundeskanzlers etwa so zum Ausdruck: Bei der Frage des unbedingten Eintritts für Berlin handele es sich nicht in erster Linie um das Schicksal der zweieinhalb Millionen Berliner, sondern darum, ob der Westen sein Wort halte. In der bewunderungswürdigen, einfachen, geduldigen, hartnäckigen, erfinderischen Außenpolitik des Bundeskanzlers, die das große Hauptinteresse des freien Abendlandes, mit dem jedes Glied steht oder fällt, und daher die Proportionen im Auge hat, war das einer der vielen weisen und wirkungskräftigen Sätze.

Nicht aber ist es »moralische Forderung an die Welt«, Hilfe zur Wiederherstellung der politischen Einheit mit den Grenzen des Bismarckstaates zu begehren. Das Dagewesensein dieses Staats begründet nach dem, was geschehen ist, kein moralisches Recht auf ihn. Vielmehr fällt rückwärts von dem schließlichen Ergebnis her ein Schatten auf den Bismarckstaat selbst. Bei dem über Tod und Leben entscheidenden Ernst der moralischen Forderung und ihrer Erfüllung gerät alles in Brüchigkeit, wenn die moralische Forderung an die falsche Stelle gesetzt wird.

3. Forderung der Klarheit des gegenwärtigen Willens

Nicht ein blinder Zwang der Geschichte setzt die Ziele, sondern der Wille der heute lebenden Deutschen, die ihre Geschichte sehen, beurteilen, revidieren. Dieser Wille ist keine feststehende Gegebenheit, sondern entspringt in der jederzeit zu erneuernden Selbstbesinnung. Der Wille muß sich selbst verstehen und wissen, was er eigentlich will. Diese Besinnung geht auf die tausend Jahre währende Geschichte des eigenen Volkes, auf die Vergangenheit des letzten Jahrhunderts, auf die unmittelbar vorhergegangenen Handlungen und Ereignisse, an denen wir noch teilhatten. Sie geht weiter auf die Faktizität der Gegenwart und die Rangordnung der Probleme, wie sie sich aus der Weltlage ergeben.

Diese Besinnung wird getrübt durch unbewußt herrschende Vorstellungen, die sich auf Vergangenes beziehen, das nicht mehr ist. Es gängelt unsere Willenstendenzen und läßt versäumen, was möglich ist. Es ist die Erinnerung an den Bismarckstaat (unter ihm verstehe ich hier nur die durch Bismarck geschaffene territoriale Einheit Kleindeutschlands unter preußischer Führung). Es ist aber auch die Erinnerung an des Reiches Herrlichkeit der wilhelminischen Zeit bis 1914, die von Zeitgenossen keineswegs durchweg als solche Herrlichkeit empfunden wurde. Das geschah nur bei denen, die die Großartigkeit und Sicherheit des Lebens in den statistischen Angaben fanden, die damals Jahr für Jahr das noch nicht dagewesene Wachsen der Wirtschaft und des Welthandels bekundeten und von uns allen mit Staunen gelesen wurden. Oder die Herrlichkeit wurde uneingeschränkt empfunden bei denen, die die militärische Macht als das Beste, das es gibt, ansahen und in der Gesinnung lebten, der Staat habe dem Militär, nicht das Militär dem Staat zu dienen, daher das monarchische Staatsoberhaupt wesentlich als den obersten Kriegsherrn kannten (Symbol dafür: 1914 mußte die Politik der vermeintlichen militärischen Notwendigkeit des Schlieffenplans weichen). Schließlich war die Zufriedenheit bei denen, die in romantischen Reichsgefühlen ihr Herz schlagen ließen. Wem die Erinnerung an den wilhelminischen Staat und seine Einheit Kleindeutschlands nicht nur historische Erinnerung, sondern als Einheit von Militärmacht, Territorium, Wirtschaftsblüte, Scheinkonstitutionalismus noch heute wirkende Norm ist, der wird von einem Gespenst der Vergangenheit getäuscht.

Aber auch die Vorstellung der territorialen Einheit, die nicht an diesen Charakter des wilhelminischen Staats denkt, sondern nur an die Einheit des deutschen Volkes, ist eine, die erst mit dem Bismarckstaat wirklich wurde und nun bald ein Jahrhundert lang sich eingeprägt hat. Diese Einprägung, gemessen an der gesamtdeutschen Geschichte etwas Vorübergehendes, ist vielleicht rückgängig zu machen notwendig.

Die Besinnung verlangt die Anerkennung der Folgen eines Krieges, für dessen Anzettelung durch den Hitlerstaat und Durchführung durch die Generäle wir als Bürger des Staats, der dieses tat, haften. Nach dem verbrecherischen Unrecht der Heraufführung dieser Weltkatastrophe, die wir nicht, vor allem nicht vor 1933, mit allen Kräften verhindert haben, sind wir, die wir mit dem Hitlerstaat nichts Böses taten, vielleicht selber zu den Verfolgten gehörten, nicht moralisch schuldig, müssen aber politisch mithaften. Haftung ist nicht Schuld. Ertragen der Folgen ist nicht Strafe. Man kann sich nicht auf ein Recht berufen, das sich von etwas ableitet, das durch solchen Krieg unwiderruflich zerstört ist.

Die Würde des vernünftigen Menschen liegt darin, daß er sich eingesteht, was geschehen und was getan ist. Die Würdelosigkeit bloßen Lebens liegt darin, einen Strich unter das Vergangene zu machen, zu vergessen und weiterzuleben aus dem bloßen Anspruch gegenwärtigen Daseins. Die Würdelosigkeit steigert sich, wenn die sogenannte Bewältigung der Vergangenheit in Forderungen an andere endet.

In jedem, auch in dem fast vernichtenden Unheil liegt noch die große Chance der Selbstbesinnung durch den Tiefgang der Folgen des Erfahrenen in der Seele. Sie liegt heute, nachdem die wirtschaftliche Not überwunden ist, in der beschwingenden Neugründung eines deutschen Staats, der Bundesrepublik. Erst die noch zu erwerbende Mitverantwortung der Bürger und Politiker, die Wahrhaftigkeit im öffentlichen Tun und Reden, die Reinheit der Atmosphäre werden die politische Freiheit verwirklichen, für die jetzt die Chance besteht.

ZUSÄTZE

1. Die Verhandlungssituation

Man sagt: die Forderung nach Wiedervereinigung dürfe nicht vorzeitig preisgegeben werden, weil man dann für kommende Verhandlungen ein Verhandlungsobjekt verloren habe. Man redet von einem Präventiv-Verzicht, von einer Vorleistung. Sie könnte zur Waffe in der Hand des Gegners werden.

Darauf ist die erste Antwort: Der Verzicht ist kein absoluter, sondern von vornherein gebunden an die Gewährung politischer Freiheit. Daher läßt der Verzicht sich ebensowenig verabsolutieren, wie es fälschlich mit der Wiedervereinigung geschieht.

Zweitens: Gilt die Wiedervereinigung als unabdingbar, so ist sie kein Verhandlungsobjekt mehr. Bleibt sie als mögliche Forderung für den Staatsmann, so ist sie bei Verhandlungen noch wirksam.

Drittens aber und das Wesentlichste: Hier handelt es sich nicht um eine Verhandlungssituation am Tisch, sondern um Triebkräfte der Völker, die vor allen konkreten Verhandlungen die Situation gestalten.

Das Verhältnis der Staaten zueinander ist nicht als dauernde Verhandlungssituation zwischen Gegnern mit entgegengesetzten Ansprüchen aufzufassen und dann die Aufgabe überall als Kompromiß zu sehen. Das Handelsgeschäft als Grundstruktur auf die Beziehung der Staaten zu übertragen, läßt das eigentlich Politische verkennen, die übergreifenden Ziele, und verschleiert die Unvereinbarkeiten, die nur dann aufhebbar sind, wenn man gemeinsam auf eine andere Ebene gelangt, auf der dieser Gegensatz nicht mehr existiert.

In der Politik kommen die eigentlichen Entscheidungen aus zwei Ursprüngen: entweder aus der Gewalt oder aus der Vernunft gemeinsamer Grundmotive des Menschseins.

Verhandlungen beziehen sich auf partikulare Dinge zwischen Partnern, die einen gemeinsamen Boden haben, der nicht Gegenstand von Verhandlungen ist. Die Erörterungen über Freiheit und Wiedervereinigung beziehen sich auf die Gewinnung eines solchen gemeinsamen Bodens in den Verwicklungen der machtpolitischen Realitäten.

2. Das Zueinanderdrängen der Deutschen

Das Leiden an der Trennung, die mitten durch Familien geht, an dem Ausgeschlossensein von der Heimat, daher, wie es heißt, der Drang zueinander ist eine Realität.

Dieser Realität ist zu antworten: Was die Sowjetzone betrifft, so würden diese Leiden mit Gewährung politischer Freiheit aufhören. Die Grenze hätte keine Bedeutung mehr. Es bedarf keiner Wiedervereinigung.

Wenn aber die Realität dieser Gefühle mehr enthält, nämlich das alte Motiv »ein Volk, ein Reich« und am Ende auch wieder »ein Führer«, und wenn die Wiedervereinigung als erster Schritt gemeint ist, dann allerdings handelt es sich um eine Realität, die durch Einsicht mit der Erhellung der Gefühle aufhebbar ist und in unserer Weltlage aufgehoben werden muß.

Zur Einsicht in den eigenen Willen gehört das historische Bewußtsein. Deutsche drängen heute zur Wiedervereinigung, ohne je an den Bismarckstaat zu denken, ohne vielleicht überhaupt etwas von Bismarcks Werk zu wissen. Aber doch ist die historisch reale Voraussetzung ihrer Gefühle, daß das wiedervereinigt werden soll, was erst durch Bismarck eine Einheit geworden war. Was achtzig Jahre Gewohnheit und Selbstverständlichkeit war, gilt als von jeher und in Ewigkeit als Recht und Anspruch.

Doch sagt man: Der Einheitswille ist viel älter als Bismarck. Das ist richtig. Das Bewußtsein des Zueinandergehörens und des Getrenntseins bezieht sich etwa auf die ursprüngliche Gemeinsamkeit, die im Heiligen Römischen Reich Deutscher Nation einmal war. Aber Schweizer und Holländer und die jetzigen Österreicher denken nicht an solche Einheit, der auch sie entstammen. Die spezifische Einheit mit der Hauptstadt Berlin besteht erst seit 1871 und wurde unter lebhaften, geistigen Widerständen errichtet.

Die Herkunft des Einheitswillens ist nicht gleichgültig. Die Gefühle sind nicht absolut. Sie sind der Prüfung bedürftig und zu befragen, welchen Ort und Rang im Ganzen unserer Ziele sie einnehmen sollen.

Territoriale Rechte lassen sich historisch nicht begründen. Das historische Wissen und das geschichtliche Bewußtsein kann Entgegengesetztes gleich gut begründen und widerlegen. Es kommt darauf an, was man im Blick auf seine Geschichte will. Es ist die Aufgabe, unser geschichtliches Bewußtsein im Medium des zwingenden Tatsachenwissens zum Urteil zu bringen über das, was es positiv sich zu eigen macht, was es notgedrungen übernimmt, was es abstößt.

3. Die Rechtssituation

Persönliche und politische Freiheit

Persönliche Freiheit hat der Staatsbürger oder auch der Untertan in einem Rechtsstaat, der ihn schützt in der freien Gestaltung seines privaten Lebens im Rahmen der Gesetze. Politische Freiheit besteht dort, wo die Bürger direkt oder indirekt an der politischen Führung teilhaben, sei es in Abstufungen von Ständen und Gruppen oder sei es, wie in der modernen Massendemokratie, in der prinzipiellen Gleichheit aller.

Politische Freiheit gab es in England, der Schweiz, Holland seit dem Mittelalter, in Amerika von seiner Gründung an. Überall hatte sie zunächst aristokratischen Charakter. Die Massendemokratie entstand schrittweise bis zum allgemeinen und gleichen Wahlrecht (in England im ersten Weltkrieg; von Bismarck wurde es für sein Scheinparlament eingeführt nicht aus demokratischem Prinzip, sondern, mit demokratischen Gefühlen spielend, als eine Manipulation gegen die Liberalen in der Erwartung, daß die Bauern aus eingeborenem obrigkeitsstaatlichem Denken konservativ wählen würden).

Das Wesentliche der politischen Freiheit ist, daß unabhängige Staatsmänner aus einem weiten Kreise hervorgehen, im politischen Kampf sich bewähren, daher eine politische Tradition ermöglichen. Im Gegensatz dazu steht etwa eine von Ministern geführte Politik, die, mit Hilfe der Beamtenbürokratie, aus ihr, von der Krone beauftragt werden. Das Parlament (wie der deutsche Reichstag des Bismarckstaats) hat auf diese Politik keinen bestimmenden, die Abgeordneten an der Verantwortung beteiligenden Einfluß (daher Scheinkonstitutionalismus genannt).

Die Bedeutung der politischen Freiheit ist:

erstens: daß Staatsmänner in der Kontinuität des Staatswesens erwachsen, ein Geist der Politik lebt, der imstande ist, das Wesen des Beamtentums zu unterscheiden von der staatsmännischen Verantwortung in dem Umgang mit Macht und Gewalt, zweitens: daß nur durch politische Freiheit auf die Dauer auch die persönliche Freiheit gesichert ist,

drittens: daß das allgemeine Wahlrecht auch die Pflicht zur Politik fordert: wer nicht teilnehmen will, kann in seinem Verzicht persönlich respektiert werden, aber er hat kein Recht zu klagen; denn er haftet mit für die Folgen der Handlungen der Staatsregierung, um die er sich nicht gekümmert hat. Wo sehr viele Bürger die Wahlen ignorieren oder unverantwortlich wählen, ohne ständig ihre politische Urteilskraft zu schulen, ist die Massendemokratie fragwürdig. Aber es ist kein anderer Weg zum Erwerb und zur Bewahrung der politischen Freiheit der Menschen heute aufzeigbar. Es gilt Churchills Wort: Demokratie ist die schlechteste Verfassung mit Ausnahme aller übrigen.

Gründung auf Gewalt

Jeder staatliche Zustand hat bisher in der Geschichte seinen Ursprung in Gewalt, auch die politische Freiheit. England, Amerika, die Schweiz, Holland, altfreie Länder, haben die Form ihrer politischen Freiheit in Bürgerkriegen erworben oder bestätigt. Bismarcks Staatsgründung, nicht auf politische Freiheit, sondern auf möglichst weit ausgreifende deutsche Einheit gerichtet, ist auf »Blut und Eisen« gegründet.

Auch unser jetziger Zustand ist auf Gewalt gegründet. Denn er ist Resultat der Niederlage im Krieg, der unbedingten Kapitulation der Armee und der Vernichtung des deutschen Staats. Es ist die Frage, wie wir dies Resultat hinnehmen müssen und wollen.

Revision des deutschen Geschichtsbildes

In Bismarcks Werk »durch Blut und Eisen« ist im Vergleich zu den Bürgerkriegen der altfreien Staaten ein entscheidender Punkt anders: Es bestand die Alternative: entweder konföderative Einheit politisch freier deutscher Staaten (wie sie ein Teil der Männer der Paulskirche wollte) oder gewaltsame Einheit zwar rechtsstaatlich liberaler, aber politisch unfreier Staaten. Die Mehrheit der Deutschen, fasziniert von dem Ergebnis der Einheit, auch die meisten Bismarckfeinde, die die politische Freiheit begehrt hatten, stimmten der zweiten Lösung zu. Es ist ein denkwürdiger, in unserer deutschen Selbstauffassung immer wieder zu durchleuchtender und zu beurteilender Vorgang.

Die Folge war, daß in dem von Bismarck geschaffenen Staatswerk die politische Führung durch einen vom Monarchen befehligten Beamtenapparat stattfand, nicht durch eine Schicht von Staatsmännern. Daß ein preußischer König in Bismarck einen überragenden Staatsmann wählte, war Ausnahme und Zufall. Bismarck hat das Werk geschaffen, aber so, daß es, wie es die Geschichte gelehrt hat, ohne ihn nicht fortbestehen konnte.

Daher hat die deutsche Staatsgeschichte keine Kontinuität. Aber Kontinuität hat die Geschichte der Deutschen, die durch alle Katastrophen ihrer Staaten hindurch geblieben sind.

Daher müssen wir bisher staatlich immer wieder von vorn anfangen, immer in Teilen. Wesentlich wäre uns ein Bild deutscher politischer Geschichte in bezug auf die Freiheiten, ihre Schöpfungen und Untergänge seit dem frühen Mittelalter.

Unser Geschichtsbild kann uns Selbstbewußtsein und Mut nur geben durch die gesamte Geschichte aller Deutschen, die niemals ein Staat waren. Dort haben wir Boden, spüren unseren Ursprung, sind verbunden in der Tiefe, kämpfen miteinander im Reich des Geistes um die für die Menschen eigentlich wesentlichen Dinge. Im Staat haben wir nur fälschlich für Zeiten und immer nur als Teil von Deutschen den Boden gehabt. Unsere Staaten müssen wir immer neu schaffen, und dies heute unter den Bedingungen ungeheurer Gefahren und Chancen, die nicht nur für uns, sondern für das ganze Abendland bestehen.

Das Neue des gegenwärtigen deutschen Zustandes

Dieser Zustand ist für uns Deutsche höchst ungünstig. Die Folgen der Niederlage, die durch den von Hitler angezettelten Krieg hervorgerufen wurden, sind in einem Augenblick eingetreten, in dem die gesamte politische Welt durch die Atombomben gleichsam in einen anderen Aggregatzustand versetzt ist.

Eine solche Weltlage ist noch nie dagewesen. Was bisher in der Geschichte möglich und sinnvoll war: einen künftigen Gewaltakt zur Besserung der eigenen Lage, zur Erreichung politischer Ziele vorzubereiten, das ist nunmehr sinnlos geworden. Nicht aber ist sinnlos, angesichts der Vorbereitung der Gewalt durch andere aus bitterer Notwendigkeit die maximalen Anstrengungen zur Verteidigung zu treffen. Unsere Situation ist charakterisiert durch den Anfang im Jahre 1945: als die Westmächte im Bewußtsein des nunmehr für immer gewonnenen Friedens nicht nur die Soldaten entließen, sondern abrüsteten, erklärte Stalin seiner Armee, nun gelte es bei der Gefahr des Kapitalismus erst recht stark zu bleiben und stärker zu werden.

Für das Abendland aber gilt: Weitere Anwendung von Gewalt führt zum Bombenkrieg und zur Vernichtung der Menschheit. Wer diese nicht will, muß alles tun, damit die Gewalt nicht mehr zur Entscheidung angerufen wird.

Daher ist die Lage, daß die gegenwärtigen Zustände zwar auf Gewalt beruhen, aber daß sie, wenn sie ungerecht erscheinen, entweder bleiben oder durch friedliche Vereinbarung geändert werden müssen. Im Unterschied zu allen früheren Zeiten läßt sich eine Veränderung der territorialen Grenzen nicht mehr durch Gewalt erhoffen oder planen.

Der Weltzustand ist in der bestehenden Weltverteilung durch territoriale Grenzen gleichsam geronnen, zwar ist sie durch Gewalt entstanden, kann aber nicht mehr durch Gewalt geändert werden.

Für uns Deutsche bleibt nichts übrig als die territorialen Folgen, die geschehenen Austreibungen und Umsiedlungen, die Spaltung hinzunehmen, wenn wir nicht, nachdem wir seit 1933 Ursache der Weltkatastrophe geworden sind, nun Ursache der Menschheitsvernichtung werden wollen. In der Weltlage heute dürfen wir nicht etwas anstreben, zu dessen Verwirklichung Gewalt erforderlich ist.

Schuld und Haftung

Was uns geschehen ist, das ist kein Strafgericht Moskaus und des Westens. Wenn es so aufgefaßt wurde, dann wurde fälschlich der Sieger zum Richter gemacht. Will man von Strafe reden (»die Weltgeschichte ist das Weltgericht«), was ich verweigere, so würde Gott durch die Werkzeuge der Staaten strafen, die selber seinem Gericht unterstehen.

Aber was geschehen ist, das ist Resultat der Gewalt. Und für den Einsatz dieser letzten Gewalt haftet der Staat, der es tat, und mit ihm haften alle Staatsangehörigen.

In der Massendemokratie heißt die Gesamtheit der Stimmbürger mit Recht der Volkssouverän. Er ist an die Stelle der früheren Monarchen getreten. Entscheidet er, wie 1933 in Deutschland (durch Gemeinschaft der Stimmen von Deutschnationalen, Nationalsozialisten, Kommunisten) mit Mehrheit gegen die Freiheit, so haften alle, auch die Minorität. Denn daß diese Abstimmung möglich war, hatte den Grund im Alltagsethos, in den zahllosen kleinen Handlungen, in der spielerischen Denkweise der Intellektuellen, in der Weise der Diskussionen und praktischen Entscheidungen. Die Deutschen haben diesen Staat sich errichten lassen, ihm gehorcht und sind haftbar – nach 1933 aber in erster Linie die Generäle, die noch die Macht hatten – für die Handlungen dieses Staats und müssen die Folgen auf sich nehmen.

Grenze der Haftung

Die Anerkennung der Haftung hat die Hinnahme der Teilung Deutschlands zur Folge, auch die der Bevölkerung, die getrennt worden ist.

Rechte, die durch einen staatlichen Tatbestand begründet sind, verschwinden mit dem Dasein dieses Staats.

Aber diese Haftung, die anzuerkennen eine politisch-sittliche Forderung ist, hat eine Grenze. Die Beraubung politischer Freiheit in Ostdeutschland, faktische Annexion durch eine fremde, russische Macht, Trennung des Verkehrs der Deutschen miteinander, eiserner Vorhang sind zwar ebenfalls Folgen des Hitlerkrieges und sind trotzdem weder moralisch noch rechtlich anzuerkennen. Sie sind nicht nur das Resultat früherer Gewalt, sondern ständig wiederholte Gewaltakte. In der Weltlage heute ist zwar auch hier die Änderung durch Gewalt gegen diese Gewaltakte nicht zu verantworten. Wohl aber ist es sittlich-politisch Recht und Pflicht, ständig diese durch nichts zu verlierende Freiheit in der Welt zu verlangen und die Tatsachen ihrer Schändung überall und immer wieder bekannt zu machen.

Wenn Territorialrechte auf einem durch Gewalt geschaffenen Zustand beruhen, so gehören Freiheitsrechte dem Menschen als Menschen. Territorialrechte sind nicht mehr durch einen moralischen Anspruch zu ändern. Freiheitsrechte sind unabänderlich.

Selbstbestimmung in bezug auf territoriale Vereinigung und Grenzziehung stehen unter Bedingung des Willens anderer Mächte. Selbstbestimmung in bezug auf die inneren Zustände und in Hinsicht auf Abschüttelung fremder Herrschaft sind naturrechtlich gegründet.

Die Grenze des Hinnehmens

Diese Grenze ist nicht eine eigentümlich deutsche. Die gesamte freie Welt, in der heute noch die Chancen des Freiwerdens durch Wahrhaftigkeit und Ethos der Menschenwürde in neuen Verwandlungen gegeben sind, muß sich behaupten. Eine Aggression auf den status quo kann nicht hingenommen werden. Das Interesse der Selbstbehauptung der gesamten freien Welt fällt zusammen mit dem deutschen Interesse zum Beispiel in Berlin. Wo die freie Welt im ganzen in Gefahr gerät, da muß der Ernst des Behauptens der Positionen und vertraglichen Rechte unerschütterlich sein bis zu dem Risiko, dem ersten Gewaltakt, der die vorhandenen Rechte der freien Welt verletzt, den status quo ändern will, auch mit Gewalt zu begegnen.

Deutsche Rechtsansprüche

1. Ein Volk, das durch seinen Staat angegriffen, alles Recht verletzt hat und besiegt ist, hat kein Selbstbestimmungsrecht in bezug auf die territorialen Grenzen seines Staats. Was hier Recht sein soll, bestimmt der Sieger. Diese Grundwirklichkeit wird verschleiert. Solche Tat-

bestände sind kein Recht, aber auf ihrem Grunde werden Rechte erbaut.

Der total Besiegte hat alle Ansprüche verloren außer den naturrechtlichen, und diese gelten nur für abendländische freie Staaten, wie wir es bei der Besetzung 1945 erlebt haben.

Die Deutschen haben noch keinen Friedensvertrag, weder das verkleinerte Gesamtdeutschland, noch die Bundesrepublik, noch die annektierte Sowjetzone. Gegenwärtige politische Rechtsargumentationen gründen sich auf Verträge und Statuten, die der Bundesrepublik und der Ostzone von den westlichen oder östlichen Siegern gewährt wurden. Auch in diesem »Waffenstillstand« scheint ohne Friedensvertrag ein Dauerzustand möglich, aber ein Dauerzustand des Kalten Kriegs, in dem die beiden Teile Deutschlands Funktionen für den Westen oder den Osten, freiwillig oder gezwungen, übernommen haben. Faktisch ist Deutschland nicht mehr eine selbständige Staatlichkeit. Ein deutscher Staat oder zwei freie deutsche Staaten können nicht aus eigener Kraft bestehen, sondern nur im Aufhören des Kalten Krieges, im Weltfrieden, in der Form von Verhandlungen durch die Siegermächte und mit den Siegermächten endgültig konstituiert werden.

Es ist eine in wesentlichen Punkten ohne geschichtlichen Vergleich bestehende Rechtslage, die der neuen Weltsituation entspricht und ihr Symptom ist. Deutschland kam in diese Lage, weil die Siegermächte über das, was für Deutschland das Rechte sein soll, schnell uneins wurden. Das hatte zur Folge die Trennung durch den eisernen Vorhang, die erstaunlich schnell wiedergewonnene weitgehende Unabhängigkeit der Bundesrepublik und die in den täuschenden Formen von Staatsbildung und Verträgen vollzogene Annexion Ostdeutschlands.

2. Die Jurisprudenz folgt den Tatsachen oder meint sie mit Argumentation zu ändern.

Sowjets und Zonenregierung handhaben das Recht als beliebig täuschendes Operationsmittel. Auch die nackte Gewalt vollzieht auf diese Weise noch ihre Reverenz vor dem Recht.

Zwischen den Westalliierten und der Bundesrepublik gilt grundsätzlich der Rechtsgeist. Aber gewisse fundamentale Tatsachen der Bundesrepublik werden möglichst selten bedacht. Sie sind formell nur in den letzten noch gebliebenen alliierten Vorbehalten zum Grundgesetz sichtbar.

So wird ständig am Rechte und mit dem Rechte gearbeitet. Aber das, worauf es faktisch beruht, ist nicht selber Recht. Faktizitäten können durch Rechtsargumentation nicht geändert werden. Daß die Bundesrepublik die Fortsetzung des alten deutschen Staats, also zuletzt des Hitlerstaates sei, kann durch noch so viele Argumente begründet werden (Fortbestand der Gesetze, der Sozialordnung, vieler Institutionen, Übernahme von Verpflichtungen, die sich auf das frühere Gesamtdeutschland beziehen durch die Bundesrepublik, ein Bewußtsein der vermeintlichen staatlichen Kontinuität), es bleibt doch das Grundfaktum des Abbruchs der Staatsgeschichte und die Aufgabe der neuen deutschen Staatlichkeit in der Weltlage heute.

3. Die Verträge der Alliierten von Yalta bis Potsdam haben Deutschland in Besatzungszonen eingeteilt, aber nicht einmal die Grenzen eines zukünftigen deutschen Staats festgelegt, vielmehr dies wie vieles andere dem künftigen Friedensvertrag vorbehalten, der heute weniger als 1945 in Sicht ist.

Unser Zustand beruht entscheidend auf den Abmachungen der Alliierten untereinander. Nicht Westberlin, nicht wir haben Rechtsansprüche an die Russen, denen gegenüber wir in der Situation der bedingungslosen Kapitulation stehen, wenn Amerika uns nicht schützt, sondern allein die westlichen Alliierten.

Inzwischen hat das Faktische sich umgestaltet. Der Friedensschluß ist ausgeblieben. Im Westen ist er gar nicht mehr nötig (denn Bündnis ist mehr als Frieden), im Osten ist er eine Drohung als mögliches Operationsmittel gegen Berlin und die Alliierten.

Auch die Rechtslage Westberlins im Verhältnis zur Bundesrepublik ist zu einem großen Teil durch die radikale Differenz der Rechtsauffassung zwischen dem Osten und Westen bestimmt. Da hat leider kein Karlsruher Verfassungsgericht etwas zu entscheiden. Dies macht höchstens auf Amerikaner Eindruck, die soviel wie möglich durch Recht geordnet sehen möchten, was in der Tat durch politische Gewalt bestimmt wird. Das Verhältnis der Bundesrepublik und der Westalliierten zur Berliner Frage ist im Laufe der Jahre einem nicht unerheblichen Wandel unterworfen (Bucerius, Berlin ist ein Land der Bundesrepublik, . . . obgleich dort noch Besatzungsrecht gilt, »Die Zeit« 7. 10. 1960) und bis heute unklar. Die Fragen sind nicht Rechtsfragen, sondern politische Fragen, solange die totale Differenz zu den russischen Auffassungen besteht. Für den politischen Blick ist in solcher Situation allein wichtig: daß Amerika und die Westalliierten bedingungslos mit allen Konsequenzen auf ihren eindeutigen, durch Abmachungen mit den Russen entstandenen Rechten bestehen, daß sie die der Bundesrepublik und Berlin von ihnen gewährten Rechte festhalten, und dann, daß in der

Bundesrepublik und in Berlin alle Provokationen, die von deutscher Seite überflüssigerweise ausgehen, vermieden werden.

Nicht allerseits anerkannte Rechte, nicht Völkerrecht, sondern ein von Osten und Westen ganz abweichend angewandtes und ausgelegtes Siegerrecht bestimmen die Daseinsgrundlage der Bundesrepublik, Berlins und der Ostzone.

Es scheint, daß die Lage hoffnungslos ist, wenn man folgendes vergegenwärtigt. Das totalitäre Herrschaftsprinzip des Kommunismus verwirft die politische Freiheit bedingungslos. Die Bewilligung von freien, durch Neutrale kontrollierten Wahlen (wie einst im Saargebiet) bedeutet schon die Gewährung der Freiheit. Denn daß die Mehrheit Ostdeutschlands in freien Wahlen sich zur Unfreiheit entscheidet, ist extrem unwahrscheinlich. Eine Wiederholung dessen, was 1933 geschah, ist wohl ausgeschlossen: Damals wußte man nicht, was man tat und lebte im Wahn; heute kennt man in Ostdeutschland den schrecklichen Zwang, den Gewissensdruck und die physische Vergewaltigung für alle. Die wenigen Nutznießer stehen ihrerseits gehorsam unter der russischen Macht und können nicht zurück.

Rußland kann die Selbstbestimmung durch freie Wahlen für die Sowjetzone nicht gewähren, solange es das Satellitensystem will, das eine Form der Annexion und Eingliederung in das russische Imperium ist. Das zeigte sich bei der rücksichtslosen Niederwerfung des in einem großartigen, einmütigen Aufschwung sich erhebenden ungarischen Volkes und der revoltierenden deutschen Arbeiter in Ostberlin durch russische Panzer. Bricht ein Glied, so stürzt das Ganze. Würde die vergewaltigte Zone zu einem freien Staat, dann wäre das Satellitensystem, das europäischen Völkern durch Betrug und Gewalt aufgezwungen wird, nicht zu halten.

Daher scheint für den Augenblick beides gleich unmöglich: die Wiedervereinigung in Freiheit und ein durch die Gewährung freier Wahlen begründeter neutraler Staat. Sich bei den Erörterungen dieser Alternative der einen oder der anderen oder beiden Irrealität vorzuwerfen, ist leicht. Wir können die Ziele aufstellen, wie wir sie gerade mögen, alle scheitern an dieser einen Tatsache: dem granitenen Willen des mächtigen russischen totalitären Staates.

Zur Befreiung Ostdeutschlands und der anderen Satellitenstaaten Gewalt zu gebrauchen, bedeutet Weltkrieg und die Gefahr der atomaren Vernichtung. Kein abendländischer Staat wird dieses Risiko eingehen, ohne von Rußland angegriffen zu sein, d. h. ohne daß Rußland durch Gewaltanwendung seine Machtsphäre vergrößern will (wie in Berlin, wo Aktionen eines »souveränen« Ulbrichtregimes nur Handlungen Rußlands wären).

Die Situation scheint hoffnungslos. In der seelischen Not infolge der erzwungenen Unwahrhaftigkeit des Lebens, der Tendenz zur faktischen Aufhebung von Familie und Heimat ist der einfache Glaube möglich, der in dem Wort von der Wiedervereinigung seinen Halt findet: sie muß kommen, sie wird kommen. Solcher Glaube als bloßer Glaube ist gefährlich. Er verwechselt Glaubensinhalt und Realität. Aber schlimmer: das Glaubenswort »Wiedervereinigung« kann verführen, in einen wilden, bösen nationalen Wahn (in Analogie zum Nationalsozialismus) die Wiedervereinigung gemeinsam mit den Russen zu erzwingen (Schlagwort: Tauroggen) und nunmehr für sich und das Abendland die Freiheit zu verlieren, wegen derer die Wiedervereinigung begehrt war.

Nein, die einzige reale Hoffnung ist, daß Rußland in einer neuen Weltlage seinen Willen einmal ändern wird. Die Vergegenwärtigungen der Hoffnungslosigkeit sind nicht das letzte Wort.

Zur Zeit kann man darüber spekulieren, wann und unter welchen Umständen Rußlands Politik es für nützlich halten könnte, sein Satellitensystem aufzugeben oder zu verwandeln.

Etwa: Rußland könnte eines Tages die Bedrohung durch China so stark fühlen, daß es das Bündnis oder doch die Rückversicherung im Westen sucht. Diese Hoffnung ist gegenwärtig noch irreal. Sie ist auch nicht eindeutig.

Denn in solchen endlos abwandelbaren, aber nützlichen Spekulationen kann man auch dies für möglich halten: Daß Rußland einen Weltkrieg, den es etwa wollte, führen müßte unter passivem Zuschauen Chinas, das am Ende mit unverbrauchter Kraft sich die Menschheit unterwerfen könnte (wie es Stalin beim Hitlerpakt für Rußland dachte), das ist für Rußland eine Sorge doch erst zu dem Zeitpunkt, an dem China industriell und militärisch stark sein wird. Diese Stärke wird es in absehbarer Zeit erreichen. Rußland könnte im Blick auf diese Möglichkeit einen früheren Krieg wünschen, und dies schrecklicherweise auch darum, weil vielleicht nach russischer Meinung die Atomwaffe noch nicht soweit entwickelt ist, daß der Atomkrieg die totale Vernichtung der Menschheit zur Folge hätte.

Da in russischen Konzeptionen politische Freiheit keinen Sinn hat, ist dort vermutlich der Gedanke: unter russischer Führung wäre die gesamte Welt einem welterobernden China der Zukunft gewachsen. China spricht schon heute offen aus, daß es den Weltkrieg will, in der Form der Behauptung, der Krieg sei unumgänglich im Kampf gegen die kapitalistische Welt. Die Frage, wer Widerstand gegen China leisten wird, ist: die übrige Welt unter Rußland oder die abendländische Konföderation im Bunde mit Rußland?

Weiter kann man spekulieren: Rußland wird sich langsam in sich selbst verwandeln, sich seines europäisch-asiatischen Doppelwesens bewußt werden, im Vergleich zu China sich abendländisch fühlen und sich in dieser seiner Wurzel retten wollen, im Vergleich zum Abendland aber sich asiatisch fühlen und, wenn nicht den Totalitarismus, doch eine Form des Despotismus zu behalten geneigt sein.

In diesem Raum der Möglichkeiten läßt sich vieles ausdenken, was so wenig wie das eben Gesagte schon jetzt Realität besitzt. In diese Wandlungen aber müssen wir für die Zukunft unsere reale Hoffnung setzen.

Das Wesentliche ist, daß unsere ostdeutschen Landsleute die Hoffnung auf Freiheit keineswegs aufgeben müssen. Eine ungeheure Geduld fordert das Schicksal von ihnen. Niemand kann das in diesem Augenblick schon ändern.

Hoffnung allein genügt aber nicht. Passives Warten zermürbt. »Immer daran denken, nie davon reden«, diese Wendung ist Vorbereitung auf Gewalt. Es bleibt jedoch die Aktivität, nachzudenken und vorzubereiten und aus dem Volke heraus der Bundesrepublik in ihrer auswärtigen Politik zu Hilfe zu kommen, die aussichtsreichen Wege zu finden. Es ist nicht gleichgültig, welche Weise politischen Denkens und Sprechens wir öffentlich ausbilden, welches politische Selbstbewußtsein wir verwirklichen. Wir brauchen die wahrhaften, illusionsfreien Vorstellungen, durch die in einer kommenden Situation die Chance eines neuen russischen Willens gefördert, nicht gehemmt wird. Durch sie würde die freie Welt, vermöge des Eindrucks unserer Wahrhaftigkeit, sich für die Erreichung unserer Ziele noch enger uns anzuschließen bereit sein.

Ich bilde mir nicht ein, den Weg zu zeigen, der das heute unmöglich Scheinende möglich macht. Das kann ich so wenig wie irgendeiner der Politiker aller Parteien. Aber diese Erörterungen könnten vielleicht ein wenig beitragen zur Prüfung der politischen Vorstellungen und Willensrichtungen.

1. Selbstbestimmung und Wiedervereinigung

Die Frage ist: Schließt Selbstbestimmung ohne weiteres auch die Freiheit zur Angliederung an andere Staaten und die Freiheit zu Bündnissen ein?

Selbstbestimmung ist ein politisches Menschenrecht. Keine Bevölkerung kann darauf verzichten, ihre Lebensform, ihren Gesellschaftszustand selber zu bestimmen. Wiedervereinigung zu einem einmal dagewesenen Territorium ist kein Grundrecht, überhaupt kein Rechtsanspruch. Denn die Folge des durch den früheren deutschen Staat mutwillig angezettelten Kriegs ist die Zerstörung dieser territorialen Einheit.

Noch einmal: Während das Grundrecht eines Volkes auf Freiheit nie verspielt werden kann, kann das Recht auf den Umfang eines nationalen Staats in der Tat verspielt werden.

Wenn in einer kommenden Situation die Freiheit zu gewinnen möglich wäre ohne Wiedervereinigung, so wäre das allein Wesentliche erreicht. Hätte Österreich seine Freiheit gewonnen, wenn es das Recht des Anschlusses an Deutschland durch freie Selbstbestimmung erhoben hätte? Gewiß nicht. Der Anschluß ist ihm verboten, und es ist doch frei.

Die These: erst die Freiheit, dann die Einheit, sagt nicht: statt Einheit die Freiheit, sondern stellt die Rangordnung fest: die politische Freiheit ist eine absolute, die Wiedervereinigung eine relative Forderung. Wiedervereinigung und Freiheit sind nicht Gegensätze, aber voneinander trennbare Ziele. Eines ist ohne das andere zu erreichen möglich: nach russischem Willen Wiedervereinigung ohne Freiheit zu einem kommunistischen Gesamtdeutschland, nach einem vernünftigen deutschen Vorschlag Freiheit ohne Wiedervereinigung. Die Wiedervereinigung ist nicht sinnlos, vielmehr unter gewissen Bedingungen wünschenswert, aber der Freiheit gegenüber gleichgültig. Würde jedoch die Wiedervereinigung aus dem Geist des Nationalismus und des deutschen Machtwillens erfolgen, dann wäre sie sogar ein Unheil.

2. Die Oder-Neiße-Linie

Man kann den Ausdruck brauchen: welcher Preis müßte gezahlt werden für die Freiheit der Ostdeutschen? Der Verzicht auf Wiedervereinigung, der Verzicht auf Rüstung Ostdeutschlands, die Hinnahme einer garantierten Neutralität (analog Österreichs) ist zu ertragen. Der Verzicht auf das Territorium jenseits der Oder-Neiße-Linie ist der einzige wirklich große Preis. Gegen ihn sträuben wir uns. Diese Gebiete sind von Deutschen im Mittelalter mehr durch friedliche Aufbauarbeit als durch Eroberung erworben. Sie sind der Raum vieler deutscher Märchen und Sagen. Ostpreußen und Schlesien waren der Boden einer unvergeßlichen deutschen sittlich-geistigen Welt. Königsberg ist die Stadt Kants. Aber wer über die realen Möglichkeiten nachdenkt, sieht nicht, wie um diesen Preis herumzukommen ist.

Alles freundliche Reden gegenüber Polen ist wie nichts, wenn die

Oder-Neiße-Linie nicht anerkannt wird. Man muß die Geschichte und den Leidensweg der Polen kennen, um zu verstehen, daß sie niemals, außer unter Gewalt, diese ihnen von Rußland zugesprochenen Gebiete wieder zurückgeben werden. Polen hat die Gebiete in der Hand. Angesiedelte Polen gewinnen dort ihre neue Heimat. Rußland zwar hat sie Polen annektieren lassen nicht nur zum Ausgleich der ihm im Osten abgenommenen polnischen Gebiete, sondern auch um ewige Feindschaft zwischen Polen und einem freien Deutschland zu stiften. Nur durch die Anerkennung der Oder-Neiße-Linie seitens der Bundesrepublik und seitens des noch nicht vorhandenen künftigen neutralen Staats Ostdeutschland würde die gute Nachbarschaft mit Polen (zum Leidwesen Rußlands) erreicht werden. Das könnte jetzt schon vorbereitet werden, wenn bei uns die allgemein zu verbreitende politische Einsicht in den richtigen Proportionen zu denken vermöchte.

3. Kein Vorschlag kann Erfolg haben, der die Macht des Westens oder des Ostens vermehrt

Ein wiedervereinigtes Deutschland ist für Rußland und für Polen unannehmbar. Vielleicht aber ist in einer neuen Situation beiden ein neutrales Ostdeutschland, das gemeinsam mit der Bundesrepublik und dem gesamten Westen die radikalen Verzichte leistet, erträglich. Umgekehrt ist eine Machtminderung des Westens für diesen und die Bundesrepublik unannehmbar.

In den Argumentationen von Parteipolitikern (SPD) spielte die Vorstellung eines wiedervereinigten Deutschlands eine Rolle, das als Preis für die Wiedervereinigung die Neutralität Gesamtdeutschlands zahlen und auf Rüstung verzichten solle. Diesen Politikern müßte die Freiheit Ostdeutschlands unter der Bedingung der Neutralität durchaus annehmbar sein.

Daß aber die Bundesrepublik auf Rüstung verzichte, neutral würde und nicht für die Selbstbehauptung des gesamten Abendlandes und damit für sich und für den Bestand neutraler Staaten (Österreichs, der Schweiz und des hypothetischen neutralen Ostdeutschlands) mitwirken würde, das wäre Preisgabe eines Machtpostens des Westens und damit Verrat am Abendlande. Das Abendland muß seine Position behaupten.

Alle vernünftigen Staatsmänner verzichten auf die Gewalt zur Befreiung Ostdeutschlands, Ungarns und der anderen Völker Osteuropas. Es ist ein grimmiger, unerbittlicher Verzicht, weil die Alternative der Weltkrieg wäre. Wenn die Gerüchte aus der Zeit des Aufstands der Ostberliner Arbeiter wahr sind, hat der gegenwärtige Oberbürgermeister Brandt seine staatsmännische Urteilskraft, in Beherrschung der nur allzu begreiflichen, uns allen gemeinsamen Antriebe, damals geistesgegenwärtig dadurch bezeugt, daß er bei jenem Aufstand sofort gegen den bewaffneten Eingriff vom Westen her sprach.

Dieser Verzicht hat aber nur Sinn, wenn ihm der ebenso entschiedene Wille des gesamten Abendlandes entspricht, die bestehenden Positionen der Freiheit, so vor allem West-Berlin, so absolut zuverlässig zu schützen, daß, wenn die Russen oder auf ihren Befehl die ostdeutschen Marionetten dieses Berlin, durch Sperrung der Verkehrswege oder wie auch immer, anzugreifen wagen, sie damit den Weltkrieg auslösen würden. Die Redensart »man kann doch wegen Berlin keinen Weltkrieg riskieren« hätte die Konsequenz, daß das Abendland sich selber aufgibt. Denn im Falle der Preisgabe Berlins würde dieser Wortbruch des Westens seine Verläßlichkeit überhaupt aufheben. Ist das Vertrauen einmal zerstört, dann ist das gesamte Abendland verloren. Der Westen würde Stück für Stück von den Russen sich einverleiben lassen.

4. Unklare Motivationen

Die Möglichkeit der Freiheit Ostdeutschlands kann einmal ernst werden (vielleicht schneller, als man heute denkt). Könnte man dann auf Wiedervereinigung bestehen, wenn der Verzicht auf sie die Voraussetzung wäre, daß Millionen Deutsche frei würden?

Wenn dann auch der Verzicht auf die Gebiete östlich der Oder-Neiße-Linie die Voraussetzung der Freiheit der jetzigen Sowjet-Zone wäre (was mit Gewißheit zu erwarten ist), könnte man wegen der »unabdingbaren Forderung« die Millionen in der schrecklichen, ihr ganzes Leben ergreifenden Unfreiheit lassen?

Man hört die Antwort: Diese Freiheit ist ja ebenso irreal wie die Wiedererwerbung der Ostgebiete jenseits der Oder-Neiße, daher sei es besser, die Maximalforderung unentwegt festzuhalten. Es sei ein unteilbarer Block von Forderungen, jede einzelne so gerecht und unabdingbar wie die andere. Weichwerden sei so gut wie Landesverrat. Wer verzichte, stelle sich außerhalb des Deutschtums. Er entfremde sich zum mindesten die Deutschen. Real werde die Sache ohnehin nur durch Krieg und Weltkatastrophe. Dafür muß man bereit sein. Alles andere ist Selbsttäuschung.

Wer alt ist, kennt diese Denkweise aus mehrfacher Erfahrung. Er hört den bekannten Ton und sieht die Gebärde, das Drohende und Sture darin. Schon zweimal hat sie die fürchterlichen Folgen gehabt. Ich sehe darin eine verantwortungslose Politik des Trotzes.

Wir müssen uns eingestehen: Nationalstaatliche Ziele gelten noch vielen als absolut und unantastbar. Politische Freiheit jedoch wird von vielen noch gar nicht begriffen. Sie genießen sie als selbstverständlich, ohne zu wissen, was sie ist und was von ihnen verlangt wird, um sie erst wirklich zu erfüllen. Die Massen haben sich bei uns zu nationalem Wahn mit beträchtlicher Opferbereitschaft in einen Taumel hineinreißen lassen. Wir haben noch nicht gesehen, daß sie in hohem Enthusiasmus heller Vernunft zum Opfer für die Freiheit bereit wurden.

Die Forderung der Wiedervereinigung birgt die Zweideutigkeit in sich: Freiheit und Machterweiterung. Freiheit kann ohne Macht nicht bestehen. Die Freiheit Ostdeutschlands würde, wie die des neutralen Österreichs, durch die Macht des gesamten Abendlandes und gemeinsam mit ihm (wenigstens dem dann folgenden Vertrag entsprechend) auch durch Rußland geschützt. Eine Machtvergrößerung Deutschlands aber stößt nicht nur auf den Widerstand Rußlands und Polens, sondern zur Zeit auch noch auf das Mißtrauen der westeuropäischen Staaten. Sie sagen zwar ja zur Wiedervereinigung, aber wohl nur darum, weil sie ihretwegen heute keine realen Sorgen haben; sie kommt ja doch nicht, meinen sie. Im Spiel der Politik scheint sie ihnen törichterweise als kostenlose Leistung solcher Zustimmung an die Deutschen und als eine mögliche Figur für Argumentationen geeignet.

5. Die Wirkung der Forderung der Wiedervereinigung und der Freiheit

Wir müssen fragen: Welche Wirkung hat der Anspruch der Wiedervereinigung, erstens auf die Gegner im totalitären Bereich und auf die Verbündeten im Bereich politischer Freiheit, zweitens auf die Deutschen in der Sowjetzone und auf uns selber?

Für die Zukunft ist es gewiß: unter *friedlichen* Bedingungen ist die Freiheit der Ostdeutschen zunächst nur zu erreichen unter Verzicht auf Wiedervereinigung. Wenn aber einmal, für den Fall einer Änderung der russischen Politik, eine Befreiungschance eintreten sollte, wäre es dann nicht besser, jetzt schon durch Klärung unserer Vorstellungen und Ansprüche die Vorbereitung zu treffen und damit für den künftigen Augenblick den Weg zur Freiheit vielleicht zu erleichtern und zu beschleunigen? Damit wir wenigstens auf keinen Fall durch Bestehen auf dem Unmöglichen das Mögliche verhindern?

In der ruhigen, unablässigen Forderung der Freiheit der Selbstbestimmung, ohne Verknüpfung mit dem Anspruch der Wiedervereinigung, haben wir die Unterstützung durch unsere Verbündeten und der Weltmeinung kräftiger, rückhaltloser, eindeutiger für uns.

An ein Phantom sich zu klammern, das wirklich werde, wenn man es nur laut als »unabdingbar« ständig wiederholt, ist eine Methode, Hoffnungen zu erwecken und zu befestigen, an die man bei klarem Denken selber nicht glauben kann. Statt Wiederholung eines Schlagworts sollte man die Initiative ergreifen zu Wegen, die zwar für den Augenblick ebenfalls keine, wohl aber auf die Dauer reale Hoffnungen erwecken. Die ständige geistige Aktivität, vor der Welt und uns selber allein das politische Menschenrecht der Selbstbestimmung zu fordern, dieses Recht von dem Anspruch auf Wiedervereinigung zu trennen, die Zustände in der Sowjetzone der Welt und den Verbündeten und den Russen immer wieder vor Augen zu halten, das, scheint mir, vereinigt beides: Wahrhaftigkeit und eine Hoffnung, die sich immer von neuem entzündet durch die unablässig neues Material bringende, neue Ausdrucksweisen findende Publizität. Es ist eine Leistung der geistigen Energie des in Realitäten sich bewegenden Denkens. In der Breite der Bevölkerung ist zur Geltung zu bringen nicht nur die anschauliche Kenntnis dessen, was unsere Landsleute im Osten zu erdulden haben, sondern wie alles mit der Frage der politischen Freiheit zusammenhängt und was diese eigentlich sei.

Wenn die ganz unantastbare Forderung der Selbstbestimmung für vergewaltigte Menschen rein und ohne Hintergedanken geduldig und lebendig wiederholt wird, kann eine Hoffnung ohne Selbsttäuschung möglich sein.

Der Kampf in der Öffentlichkeit um die Freiheit der Selbstbestimmung ist sauberer als der um Wiedervereinigung und auf die Dauer aussichtsreicher.

III. DEUTSCHES NATIONALBEWUSSTSEIN UND WIEDERVEREINIGUNG

Ich wiederhole: Was ich vorbringe, halte ich nicht etwa für das einzig Wahre. Ich bitte nur, es zu bedenken und zu prüfen.

Meine Erörterungen stoßen auf den Widerstand eines Nationalgefühls. Es ist in der Tat für unsere innere Verfassung und für unser politisches Denken entscheidend, in welchem Sinne wir uns als Deutsche fühlen.

1. Verschiedene Weisen des politischen deutschen Nationalbewußtseins

Die deutschen Österreicher fühlten sich als Deutsche mit deutschem und europäischem Reichsbewußtsein. Dies war von großartiger historischer Herkunft.

Die Schweiz hat ihr eigenes politisches Nationalbewußtsein, das auf Vernunft, Mut, Treue und Glück einer sieben Jahrhunderte dauernden Kontinuität der Freiheit seit dem Mittelalter zurückgeht. Es ist still und stark. Es nennt sich nicht mehr deutsch, da es gegen Österreich sich behaupten und von dem zum Machtstaat gewordenen Kleindeutschland sich seinem eigenen politisch freien Wesen nach als neutraler Staat radikal unterscheiden mußte. Der Name »deutsch« ist also unabsichtlich usurpiert von Kleindeutschland und heute im Sprachgebrauch der Welt so gemeint.

Die Holländer heißen zwar im Englischen noch Dutch, aber den Holländern ist das deutsche Bewußtsein verschwunden, weil ihr ursprünglich deutscher Dialekt zur selbständigen Schriftsprache geworden ist.

In den Freiheitskriegen begann ein politisches Nationalbewußtsein von universal-deutschem, konföderativem Charakter, in dessen Mitte die Idee politischer Freiheit der Staatsformen stand. Es wurde nicht verwirklicht. An seine Stelle trat schließlich ein ganz anderes deutsches Nationalbewußtsein auf Grund der Realität des durch Preußen geeinten Kleindeutschlands. Schon durch die Rebellion Friedrichs des Großen gegen das Reich wurde ein von vornherein nicht universales preußisches Nationalbewußtsein, jetzt durch Aufnahme deutscher Elemente geboren. Dieses preußisch-deutsche Nationalbewußtsein ist ein durch seinen Erfolg für Jahrzehnte bestätigter Anspruch.

Es ist wesentlich, zu wissen, daß unser Selbstbewußtsein nicht nur heute nicht einmütig ist, sondern im Laufe der Jahrhunderte mannigfache, besondere Erfüllungen gehabt hat. Das deutsche Nationalgefühl hat sich nicht immer, aber einmal, in der Periode nationalstaatlichen

Denkens und damals für den Gang der Dinge entscheidend, mit einem bestimmten, preußischen Staatsbewußtsein identifiziert. Dieses hatte seine eigene Größe.

2. Das deutsch-preußische Nationalbewußtsein

Die Staatseinheit wurde von Bismarck durch zwei Kriege erreicht. Der deutsche Bürgerkrieg zwischen Preußen und Österreich und den zu dem einen oder anderen haltenden übrigen deutschen Staaten (1866) schaffte durch Gewalt die Voraussetzungen für ein Kleindeutschland. Der Krieg gegen Frankreich (1870) ließ durch Einmütigkeit der Fürsten unter dem Beifall der kleindeutschen Bevölkerung das deutsch-preußische Kaiserreich entstehen. Einmal da, fand es enthusiastische Zustimmung, zum Teil sogar unter den 1866 Besiegten. Die Gegner, die freiheitlich, konföderativ, universal dachten, schienen kein Gewicht mehr zu haben. Und dieser neue deutsche Staat war nicht nur der militärisch stärkste in Europa, sondern unter Bismarck zwei Jahrzehnte lang fast ein Garant des Friedens.

Jetzt gab es, im Gange unserer diskontinuierlichen deutschen Geschichte, ein besonderes politisches, durch Realität begründetes deutsches Nationalbewußtsein, für diese Zeit und für ein verkleinertes Deutschland. In Max Weber ist es mir in seiner reinsten, makellosesten Gestalt begegnet. Dieser große Mann erscheint mir heute als der letzte nationale Deutsche im Sinne des Preußen-Deutschlands.

Das neue deutsch-preußische Nationalbewußtsein war grundsätzlich friedlich. Es wollte keine Eroberungen, keinen Angriffskrieg, keinen Präventivkrieg, aber die Selbstbehauptung und die Mitgeltung im Rate der Weltpolitik. Noch im ersten Weltkrieg war dieses stolze politische Nationalbewußtsein in Max Weber von Anfang an gegen jede Annexion und gegen jede Kriegsentschädigung. Auch auf dem Gipfel der deutschen Erfolge 1915 gab er diese Auffassung nicht preis. Die bloße Selbstbehauptung gegen eine Welt würde Deutschlands Prestige gewaltig steigern. Der Verzicht aber auf jeden Quadratmeter Annexion würde das Vertrauen zu Deutschland großartig befestigen, der unselige europäische Bürgerkrieg müsse so schnell wie möglich beendet werden.

Dieses politische Nationalbewußtsein war nicht pazifistisch, vielmehr durchdrungen von der Realität der Macht und daher unaggressiv soldatisch. Dieses Deutschland sollte ein Hort der Freiheit sein zwischen russischer Knute und angelsächsischem Konventionalismus. Max Weber sah die Verantwortung, die in der wie auch immer historisch gewordenen faktischen Macht eines Staates liegt. Nicht die Schweizer, deren anderes politisches Dasein seine ganze Sympathie besaß, sondern das preußisch geeinte Deutschland werde einst, sagte Max Weber, von der Geschichte verantwortlich gemacht werden für die Zukunft des Abendlandes.

Diese politische Aufgabe ist für Max Weber nicht nur groß, sondern zugleich unermeßlich schmerzhaft. An einem Abend im Juni 1914 hörte ich einem Gespräch zwischen Max Weber und dem großen Schweizer Juristen Fritz Fleiner über den Staat zu. Es gipfelte in zwei Sätzen. Fleiner: Man muß den Staat lieben! Max Weber: Was, lieben soll man das Ungeheuer auch noch!

Max Webers Leidenschaft galt der Verantwortung eines großen Staates vor der Geschichte. Die Voraussetzung für das Gelingen war der Wandel des Bismarckstaats in seiner politischen Struktur. Webers Zorn galt der politischen Unfähigkeit. Für Demokratie und echten Parlamentarismus (im Gegensatz zum Scheinkonstitutionalismus des Bismarckstaates) setzte er sich ein vor allem aus dem Grunde, daß nur im politischen Kampfe, in der Realität dieses Kämpfens, die staatsmännisch begabten Menschen in Erscheinung treten könnten, sich eine Schicht staatsmännischer Führer bilden würde. Sie allein konnten mit Erfolg an die Stelle der drei politisch unfähigen Mächte treten: des Monarchen und seiner willkürlich zerfahrenen Akte; der von ihm ernannten Beamten, die ihrem Wesen nach, gerade wenn sie gute Beamte sind, nicht entscheidungsfähige, eigenverantwortliche Staatsmänner zu sein vermögen; der damaligen deutschen Parteien, die ohne Ausnahme, da sie nie der eigentlichen Politik der Macht ins Angesicht blickten, ihren Ernst, in dem es um Kopf und Kragen geht, nicht erfuhren und darum ihrerseits nur Bürokraten und Beamte, keine Staatsmänner hervorbringen konnten. Das »System« war es, das er anklagte. Als nun die Demokratie (1918) nicht aus der stolzen Kraft politischen Freiheits- und Verantwortungswillens, sondern aus dem Kollaps erwuchs, war dieser Ursprung sein schwerstes Bedenken gegenüber dieser Gestalt der Demokratie.

Sie hat dann auch in der Tat trotz hervorragender Männer im ganzen versagt, indem sie das Heraufkommen des Nationalsozialismus und dessen totale Herrschaft durch ihre Schwäche ermöglichte mit den Folgen, die heute unser aller Dasein bestimmen. Die Grundlagen für ein deutsch-preußisches Nationalbewußtsein sind dahin. Die historische Besinnung zeigt, daß diese Art des deutschnationalen Staatsbewußtseins eine Episode war. Heute ist im gesamten Abendland der nationalstaatliche Gedanke zur größten Gefahr geworden. Die Weltlage verlangt zur Selbstbehauptung des freien Abendlandes andere Ordnungen.

Das nationaldeutsche Bewußtsein politischen Charakters ist aber eine noch immer starke psychologische, zum Massenwahn aufputschbare Realität. Ihm entspricht keine Wirklichkeit. Es ist ein »falsches Bewußtsein« geworden, gegen das – mit Hegels Worten – die Wahrheit mit der Wirklichkeit im Bunde ist, um es zu verwandeln. Es ist eine Realität, die durch Einsicht auf Grund der politischen Selbstbesinnung zu ändern ist. Daß dies gelingt, ist eine Bedingung unserer deutschen Zukunft.

3. Das unpolitische deutsche Nationalbewußtsein

Ein unpolitisches deutsches Nationalbewußtsein ist nicht an dieses besondere nationale Staatsbewußtsein, überhaupt nicht absolut an einen Staat gebunden. Es gibt ein Umfassenderes: das andere, größere, tiefere Deutschland ist für den, der daraus lebt, seelisch mächtiger, obgleich in der Leibhaftigkeit ferner als die politischen Realitäten.

Die letzte große Zeit von allgemeindeutschem Charakter war die klassische Zeit des Dichtens und Denkens, in dem die Menschen deutscher Sprache von Kopenhagen bis Zürich, von Riga bis Amsterdam sich begegneten. Dieses eine, einzige große Deutschland ist ein unpolitischer Begriff. Dessen Bewußtsein ist daher selber vorpolitisch oder überpolitisch. Aus ihm sind im Laufe eines Jahrtausends mannigfache politische Bildungen erwachsen. Keine von diesen darf für sich in Anspruch nehmen, das eine Deutschland zu sein. Die historische Vorstellung, daß das zerrissene Deutschland sich mit Sinnotwendigkeit auf den Bismarckstaat Kleindeutschlands hin entwickelt habe, ist eine Fiktion politischer Historiker der Bismarck- und der wilhelminischen Zeit und ihrer Nachfahren bis heute. Die Chancen, die dieser Staat eröffnete, sind verspielt. Wir Deutschen bleiben. Aber die Deutschen sind ein »Volk von Völkern« (Schelling).

4. Das Recht auf Heimat

Die Millionen Vertriebenen aus Ostpreußen, Schlesien und den anderen Gebieten jenseits der Oder-Neiße-Linie sind die schlimmste Tatsache unseres gegenwärtigen deutschen Daseins. Wir vermögen ihrer nicht Herr zu werden. Heimatrecht ist kein völkerrechtlicher Begriff. Aber wir rechnen es zu den Menschenrechten: Bevölkerungen dürfen nicht ausgesiedelt, nicht ihrer Heimat gegen ihren Willen beraubt werden. In unserer Zeit begannen die Zwangsumsiedlungen nach dem ersten Weltkrieg mit der Vertreibung der Griechen von der kleinasiatischen

Küste. Umsiedlungen wurden ein Instrument, mit dem Stalin in dem weiten Bereich seiner Herrschaft operierte. Umsiedlung wurde von Hitler angewendet, als er von überallher die Deutschen »heim ins Reich« führte. Umsiedlung wurde von Churchill anerkannt, als er zur Lösung der Korridorfrage die Zwangsumsiedlung der Ostpreußen billigte. Es ist grauenhaft. Aber wo immer dies geschehen ist, ließ es sich nicht rückgängig machen. Auf dem geraubten Boden erwerben inzwischen andere ihr Heimatrecht. Wiederherstellung ist nur durch neues Unrecht möglich.

Der aus dem Vertriebensein hergeleitete Anspruch hat mehrere Motive. So das private Interesse an Entschädigung für Eigentumsverlust; so den Machtwillen zu einer imaginären Rückeroberung des Verlorenen; so die Sehnsucht nach dem Lande der Herkunft, nach Umwelt und Landschaft.

Ein nicht geringer Teil der Heimatvertriebenen hat inzwischen aktiv teilgenommen am wirtschaftlichen Aufbau der Bundesrepublik, hat hier durch eigene Verdienste Anteil am Lebensstandard und hat faktisch eine zweite Heimat gefunden.

Das alles zu sagen ist hart und wirkt herzlos. Den Vertriebenen zu erklären, daß sie nie einen dem früheren ähnlichen Zustand deutscher Besiedlung der östlichen Gebiete erwarten könnten, zögert jede Regierung und jede Partei. Obgleich das Unheil zu den Folgen Hitlerdeutschlands gehört, trifft es doch den Vertriebenen und nicht in gleicher Weise alle Deutschen. Das ist ungerecht. Für alle aber ist es schlimm, falsche Hoffnungen zu erwecken und zu bewahren. Denn das ist Irreführung und muß weitere böse Folgen haben.

Die einzige schmale Hoffnung ist, daß unter veränderten politischen Bedingungen, die mit der Errichtung eines selbständigen freien Ostdeutschlands eintreten würden, ein dann befreundetes Polen die Heimkehr vertriebener Deutscher begrüßen könnte. Auf Grund von Abmachungen könnten deutsche Heimkehrer als loyale polnische Staatsbürger Schutz und Sicherheit durch gleiche Rechte genießen. Dasselbe ist der begründete Anspruch der dort verbliebenen, jetzt in Polen auf altem deutschem Boden lebenden Deutschen.

Wer mehr verspricht, der drängt, auch wenn er sagt »auf friedlichem Wege«, unbewußt auf den Weltkrieg zu, an dessen Ende alle diese Fragen überhaupt nicht mehr existieren würden.

Das Heimatgefühl mit dem umfassenden Nationalbewußtsein und dieses mit dem Nationalstaatsgedanken zu identifizieren, das hatte einen Sinn, als sich dies alles in glücklichen Fällen gegenseitig zu tragen vermochte. Jetzt bedeutet solche unklare Vermischung, daß die politischen Dinge nicht in ihren heute faktischen Proportionen gesehen werden.

Ein blinder Drang zur Wiedervereinigung (in den Grenzen von 1937) würde sich an die Stelle setzen des Willens zu einem vielleicht möglichen Wiedergewinn der politischen und persönlichen Freiheit aller Deutschen. Es ist gleichgültig, in welchen staatlichen Grenzen das geschieht.

5. Das politische Nationalbewußtsein heute

Ich erschrecke vor jeder Regung des alten, einst beschwingenden, heute verderblichen politischen Nationalbewußtseins. Wenn die nationalistischen Motive in Frankreich und England sich wieder stärker durchsetzen – unter faktischer Verletzung der politischen Solidarität des Abendlandes –, so schien mir das kein Grund, daß wir Deutschen diesen unheilvollen Motivationen auch folgen müßten. Im Frühjahr 1960 sagte mir ein bundesdeutscher Landsmann: Wir haben bis jetzt mit dem Europamythus gelebt und ihn glaubhaft gemacht. Nun England und Frankreich so offensichtlich auf die nationale Linie einschwenken, wird jener Mythus unserem Volke unglaubwürdig. Wir müssen ein entsprechendes Nationalbewußtsein schaffen. Wie macht man das? – Meine Antwort: Europa ist kein Mythus, sondern die einzige Möglichkeit der Selbstbehauptung der politischen Freiheit. Ein deutsches Nationalbewußtsein läßt sich so wenig wie ein anderes Nationalbewußtsein machen. Wir haben es längst, nur nicht einmütig. Aber kein Nationalbewußtsein darf meines Erachtens heute in Europa noch einen politischen Charakter haben. Unser deutsches Selbstbewußtsein aber ist mit seiner Vielfachheit verwurzelt im Boden eines Jahrtausends.

Wir haben die großen, zum Teil ehrenvollen Erinnerungen des österreichischen Reichsbewußtseins, des Römischen Reiches deutscher Nation, des deutsch-preußischen Staatsbewußtseins. Aber der Inhalt dieser Erinnerungen kann nicht mehr Moment oder Anknüpfungspunkt einer politischen Neuschöpfung sein. Es ist eine noch ungelöste Aufgabe, wie das deutsche Selbstbewußtsein überhaupt sich darstellen, aussprechen, rational bewußt machen wird (es kann nur einen unpolitischen Charakter haben). Und es ist die zweite Aufgabe, die neue Staatsgesinnung der Bundesrepublik zu finden und zu verwirklichen (diese kann nicht ein nationalstaatliches Bewußtsein sein). Sie ist die Bedingung der Fortexistenz dieses Staates. In allen, die sich nicht fesseln lassen von Gespenstern der Vergangenheit und Götzen der Gegenwart, ist innerlich die Bewegung im Gange.

Früher haben die europäischen Staaten, zuletzt als Nationalstaaten, gegeneinander im Kampf sich eifrig bemüht um den Vorrang an militärischer Stärke und an diplomatischer Kunst der Überlistung. Jetzt könnte im Wetteifer europäischer Verantwortung für das Schicksal des freien Abendlandes jede der Nationen in Solidarität um den Vorrang an Vernunft kämpfen. Wo Unvernunft auftritt, soll man erst recht versuchen, für den anderen mit vernünftig zu sein. Wenn andere Staaten wieder nationalistische Motive politisch unheilvoll zur Geltung kommen lassen, wollen wir nicht ihnen folgen, sondern geduldig festhalten das Leitbild des Abendlandes, in dem die Nation als solche keine politische, sondern eine lebentragende sprachliche und kulturelle und heimatverbindende Bedeutung hat. In dieser wird sie allein durch den gemeinsamen Willen des Abendlandes und die Stärke seiner Einheit geschützt.

In der Weltlage nach der deutschen Katastrophe zeigt sich überall (außer vielleicht in der absoluten technischen Organisation und Umprägung des Menschen durch totale Herrschaft) eine Verwirrung ohnegleichen. Wir müssen in ihr uns wiederfinden.

Wo liegt das, was ich eigentlich will und wofür ich unter den Bedingungen der faktischen Weltlage lebe? Nicht normiert durch das Faktische, aber in seinem Raum sucht der Wesenswille seine Gestalt, in Anziehung und Abstoßung, sich treffend mit anderen Willen, in der Hoffnung, wenigstens in einem einmütig zu werden: Politisch ist heute die alles entscheidende Wahl die zwischen totaler Herrschaft und Freiheit. Hier allein liegt das unumgängliche Entweder-Oder.

ZUSÄTZE ZU III

1. Wert der staatlichen Einheit

Unterschätze ich den Wert einer staatlichen Einheit? Wenn mit der Einheit der Gebietsumfang eines Nationalstaats gemeint ist, so bewerte ich sie nach der in der Weltsituation heute sich aufdrängenden Notwendigkeit. Denn die Größe der Einheit, auf die es unter den heutigen Bedingungen ankommt, ist nur noch die Konföderation aller europäischen und abendländischen und freien Staaten. Diese Einheit muß konföderativ sein, denn sonst würde die Freiheit aufhören. Diese Einheit muß so umfangreich und verläßlich wie möglich sein, denn nur dann können alle ihr Angehörenden sich gegen die Aggression des Totalitären behaupten. Daran gemessen ist der Umfang der Einheit abendländischer Nationalstaaten gleichgültig geworden, so auch die Einheit eines wiedervereinigten Deutschlands, wenn nur Ostdeutschland frei wird.

Wir Deutschen haben noch ein weiteres zu bedenken. Ein größeres wiedervereinigtes Deutschland ist heute noch eine Sorge für die anderen Staaten im Osten und Westen. Die Realität des Hitlerstaates ist in ihrer Erinnerung stärker gegenwärtig als vielleicht in uns. Von einer Bevölkerung, die solchen Staat ermöglicht hat, von einer Armee, die solchem Staat gedient hat, fürchtet man: was einmal möglich war, kann wieder möglich werden.

Ich glaube, daß diese Sorge in der neuen politischen Weltlage mit völlig anderen Machtverhältnissen nicht groß zu sein braucht. Wenn aber das Offizierskorps der Bundeswehr sich auf den nationalstaatlichen Gedanken gründen, die Verwandlung der Bundeswehr in eine neue Nationalarmee geschehen würde, dann könnte allerdings wieder Entsetzliches geschehen. Dies könnte jedoch nur wirklich werden bei allgemeinem Fortbestehen europäischer Nationalarmeen ohne ihre bedingungslose Integration und bei Fortsetzung der für Europa selbstzerstörerischen nationalistischen Politik des Gaulles. Wie großartig haben Adenauer und seine französischen Partner das durch die Europäische Wehrgemeinschaft verhindern wollen, die von Mendès-France begraben wurde! Jedenfalls ist es unausweichlich, daß ein die Zusammenhänge der Stimmungen erfassender Deutscher an solche Sorgen denkt. »Unabdingbar« ist die Freiheit. Die Einheit ist so wenig unabdingbar, daß die Heftigkeit ihrer Forderung als solche schon erschreckend ist. Denn im Einheitswillen als solchem liegt von jeher verborgen der Machtwille, keineswegs zuerst der Freiheitswille. Die Einheit, die als Macht von der politischen Freiheit für ihre Selbstbehauptung notwendig verlangt wird, ist heute allein die Einheit des Abendlandes.

Die Kraft der Forderung politischer Freiheit kann nicht groß genug sein. Der helle Wille zu dieser Freiheit ist, so hoffen wir, unwiderstehlich.

Ein anderer sogenannter »Unwiderstehlicher Drang« Deutscher hat einst in nationalistischen Schlagworten (wie »Volk ohne Raum«, »ein Volk, ein Staat, ein Führer«, »Deutschland erwache, Juda verrecke« und vielen anderen) Deutschland und der Welt die Katastrophe gebracht. Aller solcher »Drang«, vor dem wir uns selber einst nicht zu schützen vermochten, ist zwar durch das Gewicht der tatsächlichen Weltlage bei uns an Ketten gelegt, aber nicht ausgelöscht. Ein Rest davon scheint in der verabsolutierten Wiedervereinigungsthese bewahrt.

Ursprüngliches nationales Volksbewußtsein ist keineswegs als solches schon staatliches Bewußtsein. Etwas ganz anderes ist vielmehr das durch einen Staat geprägte sekundäre Nationalbewußtsein, das als Zusammengehörigkeitsgefühl noch eine Weile bleibt, wenn der Staat verschwunden ist.

2. Vergleich Österreichs und eines möglichen künftigen Ostdeutschlands

Wenn, für den Fall der Errichtung eines deutschen Oststaats durch freie Selbstbestimmung, an Österreich als Vergleich gedacht wird, so ist doch ein großer Unterschied. Das Moment des nationalen Bewußtseins trägt, ohne selber staatlich sein zu müssen, doch auch den Staat. Das ist in Österreich fühlbar. Man sagt: Österreich hat historischen Boden. Seine Wiederherstellung, getrennt von der Bundesrepublik und den Ostdeutschen, erneuert das Leben einer Bevölkerung, die jetzt fortbesteht von einem einst großen Reiche her. Diese deutsche Bevölkerung wurde seit Jahrhunderten langsam von den anderen Deutschen staatlich getrennt, nach dem ersten Weltkrieg auch von den osteuropäischen Völkern, die zu dem großen Reich gehört hatten. Ostdeutschland dagegen habe keine eigene Erinnerung außer der mit der Bundesrepublik gemeinsamen an Preußen-Deutschland. Das ist nicht richtig. Vielmehr hat Ostdeutschland seinen eigenen historischen Boden. Es ist die Welt Brandenburgs und Sachsens, und übergreifend die Preußens und Berlins. Es hat seine eigene Geschichte. Heute ist es reduziert auf seinen kleinen Umfang wie Österreich. Preußen-Deutschland und seinen Maßstab gibt es als Recht so wenig mehr wie das Heilige Römische Reich Deutscher Nation. Wohl aber gibt es die Erinnerung an den hellen preußischen Geist, die verläßliche Dienstleistung, die Härte, die Unbefangenheit; und an die Welt Sachsens, voll großer geistiger und religiöser Überlieferung. Es ist die Welt, die in Lessings Minna von Barnhelm noch heute unvergeßlich anspricht. Preußen als militärischer Staatsgeist ist verschwunden. Preußen als Ethos, das im überdeutschen, weltgültigen Philosophieren Kants seinen überhöhten Ausdruck gefunden hat, und Preußen als die Kraft übernationalen Denkens, wie es in Humboldt und den großen Geistern der klassischen Zeit, die in Berlin sich trafen, sichtbar ist, und Preußen als Berlin, in dem die illusionslosen, tätig tüchtigen, zuverlässigen Menschen mit ihrem großarti-

impartiality

gen Humor leben, all das ist eigene Substanz und ein Grund des Staates, wenn er einst durch Selbstbestimmung wieder Wirklichkeit gewönne.

3. Beispiele für das Verhängnis des Vorrangs nationalpolitischen Denkens

Wenn wir den Nationalstaatsgedanken als politisches Prinzip verwerfen (damit zugleich aber das unpolitische nationale Bewußtsein existentiell als unerläßlichen Boden festhalten), dann dürfen wir der Klarheit wegen nicht zögern, über Handlungen nationalstaatlicher Motivation nach 1933 jetzt im Rückblick konsequent so zu urteilen, wie es einige Deutsche schon damals gleichzeitig taten.

Diese Urteile beziehen sich auf Gefühle, Handlungen, Wertschätzungen, die, ihrerseits als solche sittlich unantastbar, von hervorragenden Persönlichkeiten vertreten wurden. Für um so notwendiger halte ich es, sich einzugestehen, was als Sinn darin liegt, und zu prüfen, ob wir diesen Sinn heute für uns festhalten wollen. Wir sollen wenigstens durchdenken, was hart, ja, für manchen absurd erscheint.

a) 1935 wurde im Saargebiet unter neutraler Kontrolle wirklich frei, ohne Vergewaltigung durch Hitler, abgestimmt. Es war ein einziger Augenblick, in dem wir den Atem anhielten. Deutsche konnten zeigen, daß sie radikal das Hitlerregime ablehnten, in das Deutschland mit schrecklichem Enthusiasmus hineingestolpert war. Nun, als es sein Wesen, das Prinzip der Zerstörung von allem, was uns Deutschen und Abendländern das Leben lebenswert macht, auch den Blindesten offenbart hatte, und als es nicht mehr von innen abzuschütteln war (das Offizierskorps hatte die Aufrüstung aus Hitlers Hand entgegengenommen, statt das Regime zu stürzen, was nach 1933 nur der Armee möglich war), war der Augenblick da, an dem die Deutschen vor sich selbst und vor der Welt und der Geschichte nach dem einmaligen Überspieltsein durch die dumme Teuflischkeit des Nationalsozialismus sich hätten rehabilitieren können. Die Abstimmung der Saarländer war eine deutsche Chance ersten Ranges. Sie hätten bekundet, daß sie der Freiheit wegen lieber einem freien Frankreich als Staat angehören wollten (um im Bereich dieser Freiheit ihre nationale Kultur zu pflegen), als teilzunehmen an dem Gang des deutschen Verderbens. Der Augenblick wurde nicht genutzt. Der nationalstaatliche Gedanke war so stark, daß auch Menschen, die das Hitlerregime haßten, lieber dem deutschen, seit Bismarck bestehenden Staat angehören wollten, was auch immer Deutschlands Regierung tun werde, ob nationalsozialistisch oder kommunistisch-totalitär, bis in Schuld und Verbrechen. Die national-staatliche Idee hatte den absoluten Vorrang. Zur Vermeidung von Mißverstehen ist zweierlei zu bemerken:

Wenn die Majorität die Freiheit selber zerstört und dem Rechtlosen seinen Lauf läßt, so ist sie keine demokratische Majorität. Demokratisch ist, sich jeder Majorität zu fügen, außer der, die für die Zukunft die Möglichkeit freier Abstimmung und den Kampf für eine andere Entscheidung vernichtet. Wer sich dem nicht fügt, sondern, ohnmächtig zwar, sich auf sich selbst zurückzieht, bewahrt die demokratische Idee.

Die spätere Abstimmung des Saarlands für die Zugehörigkeit zur Bundesrepublik hat einen völlig anderen Sinn. In einer freien Welt, in der Frankreich gegen sein eigenes Machtinteresse der Abstimmung des Saarlandes über seine Staatsangehörigkeit Raum gab, konnte das Saarland seine Rückkehr zu einem freien Staat beschließen, dessen Bevölkerung, Sprache und Kultur die eigene war. Das war ein Ereignis, das den Saarländern den ihnen gemäßen Lebensraum statt des französischen gab. Es war für die Geschichte im ganzen nicht wichtig, sondern nur ein echtes Symptom westlicher Freiheit, während die Saarabstimmung 1935 eine geschichtlich wesentliche Bedeutung hatte als ein weiterer Faktor für den Gang in den Abgrund. Nicht auszudenken, was damals in Deutschland bei einer anderen Saarabstimmung geschehen wäre!

b) Im Kriege hörte man von trefflichen Menschen, Offizieren und Soldaten, immer wieder das Wort: erst siegen, dann mit Hitler fertig werden! Die Antwort (wenn es verläßliche Freunde waren) blieb die gleiche: Hitler wird euch nach einem Siege nach Hause schicken. Ihr werdet mit der Begeisterung von Siegern heimkehren. Er aber behält nur die SS und wir euch alle zu Sklaven machen, als Rasse züchten, die Untauglichen töten, eure Städte zerstören und durch gigantische Sklavenarbeit in Szenerien für Aufmärsche verwandeln und den nächsten Krieg vorbereiten, mit dem er die Erde erobern will. Das wurde nicht vergegenwärtigt und nicht geglaubt. Der nationale Staatsgedanke hatte den Vorrang.

c) Unter den Widerstandskämpfern gab es die überpolitisch gegründeten, zweckfrei ohne Gewißheit, ja manchmal ohne Glauben an Erfolg sich opfernden Deutschen. Sie sahen in dem unter der Lenkung von Verbrechern verzweiflungsvollen Geschehen keinen anderen Weg. Sie sind eine nicht kleine Zahl von Märtyrern. Aus jener Zeit der Niedertracht sind sie die einzige Erinnerung von Größe. Ihr Wagnis, nicht nur ihres Lebens, sondern daß sie als Hochverräter und Landesverräter vor der Menge der Deutschen, vielleicht der meisten gelten würden, ihr Mut im Sterben, ihre sittlich-fromme Gesinnung strahlen aus den Jahren totaler Nichtswürdigkeit zu uns, erheben den Anspruch an den Ernst der Überlebenden und ermutigen.

Hier nun spreche ich nicht von ihrer Größe, sondern von dem nationalstaatlichen Prinzip, das viele, nicht alle, von ihnen als selbstverständlich voraussetzen. Soweit es sie beherrschte, brachte es sie um die Möglichkeit, rückhaltlos das Nichts zu übernehmen, in das der Nationalsozialismus Deutschlands Staatlichkeit geführt hatte. Sie realisierten nicht, daß der deutsche NS-Staat, der schon elf Jahre unter der Mitwirkung der Mehrzahl der Deutschen sich verwirklicht hatte, entsprechend seinem totalitären Charakter total besiegt und ausgelöscht werden müßte. Was eine ganze Welt, angegriffen von diesem Staat, mit Einsatz aller Kräfte unter gewaltigen Opfern endlich erreichte, dem glaubten sie durch Attentat, Militärdiktatur und Gründung eines deutschen Staats aus nationaler Überlieferung im letzten Augenblick durch einen deutschen Akt zuvorkommen zu können. Was 1933, 1934, 1938, 1940 möglich gewesen wäre, das kam 1944 zu spät.

Politisch hatten Widerstandskämpfer mehrfache Antriebe. Anfänglich zum Teil enthusiastische Nationalsozialisten, zum Teil Offiziere, die im Willen zu Deutschlands Macht die Aufrüstung aus Hitlers Händen, dessen Wesen längst sichtbar war, entgegengenommen hatten, sahen sie das von ihnen unter ganz anderen irrigen Vorraussetzungen blind Begonnene unter dem Hitlerkommando und seiner Apparatur unentrinnbar in Deutschlands Ruin und Verbrechen endigen.

Sie wandten sich an den Westen, glaubten sich mit ihm solidarisch gegen beide totalitäre Regime, das russische und das deutsche. Sie meinten, mit dem Westen gegen den sie alle bedrohenden östlichen Totalitarismus zu stehen, der im Herrschaftsprinzip nichts anderes war als der nationalsozialistische Totalitarismus. Aber sie fanden kein Verständnis. Denn die Westmächte sahen bei ihrem von Hitler erzwungenen Bunde mit Rußland doch in den Russen im abendländischen Sinn zuverlässige Bundesgenossen und schon eine Wandlung des russischen Kommunismus. Sie sahen nicht, sich selber verblendend, das überall gleiche totalitäre Prinzip.

Die Widerstandskämpfer glaubten ein anderes Deutschland zu vertreten und als solche Vertrauen zu verdienen. So waren sie erstaunt und niedergeschlagen vor der Forderung der bedingungslosen Kapitulation, und vor der Unmöglichkeit, die Westalliierten von Rußland zu trennen.

Ihre Lage war verzweifelt. Ganz auf sich zurückgeworfen, galten sie als Landesverräter gegenüber dem Hitler-Staat, für den fast das ganze Deutschland kämpfte, waren sie aber Deutsche dieses Hitlerstaates gegenüber dem Westen. Ihre Hand griff vergebens nach einer Hand, die sich ihnen von dorther entgegengestreckt hätte. Sie wollten Verhandlungspartner sein, vertraten aber dem Westen gegenüber nichts. In heroischer Einsamkeit mußten sie leben und sterben.

Sie dachten und handelten, als ob der frühere deutsche Nationalstaat noch bestehe und Geltung beanspruchen dürfe. Statt das über den Hitlerstaat, der elf Jahre der deutsche Staat gewesen war, hereinbrechende Verhängnis anzunehmen, wollten sie eine nicht mehr bestehende Staatlichkeit, die sie in sich verkörpert fühlten, retten. So begehrten sie Zusagen von den Westmächten und verwarfen die bedingungslose Kapitulation. Aber in der durch den Hitlerstaat herbeigeführten Situation konnte es von seiten der Westmächte, solange der totale Krieg seinen Fortgang nahm, keine Zusagen geben, mit denen sie zudem den russischen Bundesgenossen verraten hätten.

Seitens der überlebenden Deutschen aber konnte es kein Verlangen nach Zusagen, sondern nur das Vertrauen geben auf die freiheitlichen und menschlichen Prinzipien der westlichen Völker und ihre Gnade (das in der Tat nicht getäuscht worden ist). Was staatlich war, das war in zwölf Jahren bis auf die Wurzeln abgeschnitten. Nur als »radikaler« neuer Anfang konnte aus diesen Wurzeln eine neue Staatlichkeit erwachsen, unter Anerkennung des Abbruchs der deutschen staatlichen Überlieferung, unter der Idee allein der Freiheit.

In jenen Gesinnungen des späten Rettenwollens lag die in diesem Horizont verläßliche Art. Durch die Isolierung auf den nationalen Gedanken täuschte sie sich. Jene Menschen, die entschlossen die Abkehr fanden von dem, was sie selber mit hervorgebracht hatten, verehren wir. Jetzt aber ist es unsere Schicksalsfrage, ob wir unterscheiden: die menschliche Größe und die politische Irrung der Mehrzahl jener Widerstandskämpfer. Das heißt, ob wir dem nationalstaatlichen Gedanken endgültig seinen Vorrang nehmen, ja ihn als politisches Prinzip ausschalten wollen. Was früher Nation war, das ist in der heutigen Weltlage einerseits ins Unpolitische gerückt und hat hier seine alte und neue Stärke, andererseits ist es politisch zu dem umfassenden Begriff der Gemeinschaft aller abendländischen, politisch freien Völker geworden.

4. Das Frankfurter Parlament 1848

Welch radikale Wandlung im politischen Nationalbewußtsein mir unausweichlich scheint, veranschauliche ich durch eine Anekdote. Im Januar 1948 tagte in Heidelberg der sogenannte Dreizehnerausschuß, den wir Anfang April 1945 zur Neugründung der Universität gebildet hatten. Inzwischen war er nach Einrichtung der Universität überflüssig geworden, aber bestand noch ehrenhalber und tagte zu Beratungsfunktionen in allgemeinen Fragen. Jetzt war Anlaß gegeben durch einen heftigen Angriff einer großen New Yorker Zeitung auf die Universität Heidelberg. Im Verlauf der Besprechung über unsere politische Lage führte ich unter anderem aus: Es sei zu fürchten, daß man in diesem Jahre 1848 und die Paulskirche feiern und zur Grundlage unseres neuen Staatsbewußtseins machen wolle. Damals habe die Zweideutigkeit von Einheit und Freiheit begonnen. Die Einheit sei in der Folge maßgebend und der Kampf um politische Freiheit schließlich aufgegeben worden. Auf diese Zweideutigkeit dürften wir uns nicht stützen. Das sei kein rechtes Symbol für uns. Der hohe geistige Rang der Paulskirche genüge nicht, um Gesinnungsgrund des neu zu schaffenden Staatswesens zu werden. Darauf geriet ein von mir sehr verehrter älterer Freund in starke Erregung, verwarf mit aller Schärfe meine Auffassung. Niemand im Ausschuß stimmte mir zu.

Das war einer der Augenblicke, in denen mir unter verehrten und lieben Kollegen in Verzweiflung ein Licht aufging (wie einst 1924 in einem Streit über die Lehrfreiheit). Mochte es Wahrheit oder Selbsttäuschung sein, ich mußte mich mit meinem Denken vorläufig völlig einsam fühlen.

Für mich dachte ich: Wenn der werdende Staat oder die werdenden Staaten in dieser Situation ihre Aufgabe erfüllen sollten, so durften keine zweideutigen Symbole auftreten, die nur zu ungeglaubten Feierlichkeiten taugen. Wo aber sollten wahre und wirksame Symbole gefunden werden? Wir haben uns einzugestehen: kein Ereignis, keine staatsmännische Persönlichkeit, keine Charta konnte und kann dazu dienen. Was wir staatlich hervorbringen sollen, muß aus tieferem Ursprung ganz und gar wahrhaftig sein.

Aber heißt das nicht, uns auf Nichts gründen zu sollen? Keineswegs. Wir haben die große Überlieferung des deutschen Ethos. Wir haben die Freiheiten im Mittelalter gekannt. Wir haben ein politisches Denken in Philosophie und Wissenschaft. Wenn aus uns jetzt noch politisch etwas werden soll, so dürfen wir nicht ausweichen. Was hervorgebracht wird, das wird tragen, wenn es wahrhaftig ist. Auf Feste und auf die Künstlichkeit der Symbole müssen wir vorläufig verzichten. Unsere Urteilskraft muß die Weltlage und uns in ihr ohne Selbsttäuschung auffassen. Das ist hart.

Reich sind wir an Denkformen, Bildern, reich durch alle vergangenen Zeiten an großen Menschen. Die deutschen Erinnerungen kennen nicht nur das Grauen. Das Herrliche überstrahlt. Wann immer die Not, die Uneinmütigkeit, der Wahn, die Rattenfängerei, die Niedertracht, die Dummheit zum Siege zu kommen scheinen, das andere ist unzerstörbar. Es blickt uns an aus jungen Augen. Wir begegnen heute wie je in Deutschland den Menschen mit schlichter Anständigkeit und Verläßlichkeit, mit dem Vertrauen des guten Willens, daß ihm guter Wille entgegenkomme, mit dem Sinn für die Geheimnisse, still beschwingt in das Ewige, mit dem spekulativen Träumen (immer wieder schlimm entartet als Wahn von unüberzeugbaren Eigenbrötlern oder in irren Massenbewegungen). Wir haben eine gleichsam über dem Boden schwebende deutsche Heimat in einem Reich der Geister und treffen immer wieder Deutsche, die dort zu Hause zu sein scheinen. Die Verwandtschaft, die uns mit vernünftigen Menschen auf der ganzen Welt verbindet, findet ihre Ergänzung durch die einzige Verwandtschaft zu dem Deutschen. Diese Verwandtschaft können wir nicht fassen, wenn wir sie doch lebendig in uns spüren. Aber zugleich wie schmerzvoll! Trotz allem: Max Weber sagte: »Ich danke dem Schicksal, daß ich als Deutscher geboren bin.« In Bescheidenheit vor diesem großen Mann: keinen Augenblick habe ich anders gefühlt. Heinrich Heine, dem großen jüdischen Deutschen, in gleicher Verfassung, ist sein berühmtes Wort zu glauben: »Denk ich an Deutschland in der Nacht, dann bin ich um den Schlaf gebracht.«

5. Der Nationalstaatsgedanke heute das Unheil der Welt

Die Geschichte des deutschen Nationalstaats ist zu Ende, nicht die Geschichte der Deutschen. Was wir als große Nation uns und der Welt leisten können, ist die Einsicht in die Weltsituation heute: daß der Nationalstaatsgedanke heute das Unheil Europas und nun auch aller Kontinente ist. Während der Nationalstaatsgedanke die heute übermächtige zerstörende Kraft der Erde ist, könnten wir beginnen, ihn in der Wurzel zu durchschauen und aufzuheben.

Daß der deutsche Nationalstaat der Vergangenheit angehöre, besagt nicht, daß der Wahn seiner noch fortbestehenden Realität nicht selber real sei. Es besagt, daß die Irrealität des Wahninhalts, wenn sie fortbesteht, auf Kosten seiner Träger und der Welt durch eine neue Katastrophe an den Tag gebracht würde.

Die gewaltige wirtschaftliche und die beginnende militärische Kraft der Bundesrepublik – nach der Situation von 1945 wie ein Wunder – kann von neuem zu dem Irrtum führen, Wirtschaft und Armee bestimmten die Wahrheit der Geschichte. Aber sie sind nur Mittel und bedürfen der Führung durch die Idee der Freiheit.

Die führungslose Gewalt der Mittel stürzt in den Abgrund. Daß aus dem Abgrund Erhebung stattfindet, wurde und wird als selbstverständlich angesehen. Darum greift man im Wahn zu der Macht, um Unmögliches zu erzwingen, in der Erwartung, daß Deutschland ewig bleibt im Wechsel von Untergang und Wiederherstellung. Jetzt gilt das keinesfalls mehr. Ein nochmaliger Untergang wäre der endgültige.

Schon sehen wir die alten blinden Kräfte wieder, die »mehr und mehr und mehr wollen« (wie Adenauer warnend und beschwörend sagte). Sie werden heute stärker im Stolz auf deutsche Tüchtigkeit (etwa: als Exportland steht die Bundesrepublik an zweiter Stelle, vor ihr Amerika, kurz nach ihr England) und uneingestanden vielleicht schon im Stolz auf die entstehende deutsche Wehrmacht. Als ersten Schritt fassen sie ins Auge die Wiedervereinigung.

Die Macht der Widervernünftigen wächst mit der Energie der Wirtschaft und der Stärke der Armee. Sie wird übermütig. Aber Wirtschaftskraft und Militärkraft sind, in aller Tüchtigkeit, wie die Erfahrung den immer wieder Erstaunten seit einem Jahrhundert lehrt, im ganzen und damit politisch blind.

Aber die Deutschen? Die sie nicht kennen, nennen sie auf Grund der jüngsten Geschichte ein undurchsichtiges Volk, ruinös für sich und die anderen. Fast alles ist im einzelnen, was man dafür an Tatsachen angibt, richtig. Aber ich habe immer daraufhin gelebt, daß ich es im ganzen nicht glaube.

Gundolf sagte, drei Völker trügen durch die Tiefe ihres Glaubens, Denkens und Dichtens das Abendland: Griechen, Juden und Deutsche. Ich wage es nicht, für uns Deutsche so hoch zu greifen. Wir haben keinen Jeremias, keinen Jesus, keinen Spinoza, keinen Shakespeare, keinen Dante. Wohl haben wir Lessing, Goethe, Kant, aber auch die geniale Brüchigkeit und Verführungskraft des dann folgenden deutschen Idealismus und der Romantik. Zweideutig ist die geistige Welt unserer Größe.

Was in der Reihe derer sichtbar ist, die in ihrer reinen, menschlich unantastbaren, sachlich wahren Größe vor uns stehen, das lebt aus gleicher Quelle in der Bevölkerung zerstreut, die schlichte Anständigkeit, die Kraft der Wahrhaftigkeit, die schaffende und die verstehende Geistigkeit, die ohne Täuschung in das Ewige träumende Phantasie. Ob dieses standhält, sich auf sich selbst besinnt, sich vorwagt und sich zusammenschließt in der unorganisierbaren, aber verläßlichen Gemeinschaft der Vernünftigen und jene zweideutige Größe und Verführbarkeit durchschaut, das wird Deutschlands Schicksal entscheiden.

Heute wird politisch dieses eine entscheidend werden: Bei uns ist das nationale Staatsbewußtsein zum entsetzlicheren Unheil geworden als irgendwo in der Geschichte. Wir sind mehr als andere durch Erfahrung vorbereitet, den radikalen Schritt zu tun vom nationalen Staatsbewußtsein zum Staatsbewußtsein unter der Idee menschlicher Freiheit.

Dieser Schritt ist für die Welt, nicht nur für unser eigenes Heil von Bedeutung. Denn in der Welt feiert der nationale Staatswille neue unheilvolle Triumphe. In Europa hindert der staatliche Nationalstolz den wirksamen und zuverlässigen Zusammenschluß zur gemeinsamen Selbstbehauptung der Freiheit. Denn die Einheit des Abendlandes setzt den Verzicht auf die Souveränität der Nationalstaaten voraus. Wenn de Gaulle die schönen und unklaren Wendungen findet wie »Europa der Vaterländer«, so verbirgt er den sonst von ihm rückhaltlos ausgesprochenen französischen staatlichen Nationalstolz. Die Wendung klingt zwar wahr: denn natürlich ist Europa die Einheit der in ihrer großartigen Mannigfaltigkeit erscheinenden, sich suchenden und gegenseitig Leben gebenden Völker; aber falsch ist geworden die staatliche Souveränität der Nationen, die de Gaulle meint.

So ist es überall und am maßlosesten in den vom Kolonialismus befreiten Völkern. Wir wissen, was die Folge ist. Die Tatsache des auf der ganzen Erde blühenden gegenwärtigen Nationalismus ist kein Grund, ihn mitzumachen. Die Kraft des Geistes und die Wirklichkeit der eigenen Staatsentwicklung sollen vielmehr bezeugen, daß er keineswegs notwendig ist. Notwendig aber ist die in den Herzen einer Bevölkerung lebende und praktizierte Staatsverfassung unter den Ideen der politischen Freiheit und der auf die Dauer nur durch sie geschützten persönlichen Freiheit der Lebensform im Rechtsstaat.

Nicht Rückkehr vom Nationalstaat zum Weltbürgertum, sondern Fortgang zur Verwirklichung der Freiheit im Gesamtleben konföderierter Staaten ist die Aufgabe. Denn nur innerlich freie Staaten können in wirklichem Frieden miteinander leben und einer schließlich den Erdball umfassenden Konföderation (nicht einem Weltstaat) den Boden bereiten. Unter dem zwar nie endgültig gesicherten, aber durch Freiheit stets neu gewonnenen Dach würden die Völker und Menschen in der Vielfachheit ihrer Lebens- und Glaubensformen sich entfalten. Die Einheitlichkeit von Wissenschaft und Technik wird dann endgültig zum Mittel werden und nicht Endzweck bleiben. Wie die unserer Erkenntnis und menschlichen Anteilnahme zuströmende Geschichte der Jahrtausende voller Unbegreiflichkeiten und Wunder ist, obgleich sie viele klare Sinn- und Kausalzusammenhänge zeigt, so liegt eine undurchschaubare, aber uns aus ihren noch nicht enthüllten Möglichkeiten ansprechende Zukunft vor uns, wenn wir sie nicht durch Totalvernichtung der Menschheit abbrechen, auf die hin der staatliche Nationalismus ein treibender Faktor ist.

IV. DER NEUE STAAT: GRUNDGESETZ UND WIEDERVEREINIGUNG

Die Wiedervereinigung ist als Erwartung und Anspruch im Grundgesetz verankert. Kritik an der Forderung der Wiedervereinigung führt unausweichlich zur Kritik am Grundgesetz. Dann aber wird nicht nur dieser eine Punkt, sondern das Grundgesetz als Ganzes zum Thema.

In der Not nach der Katastrophe der zwölf Jahre (1933–1945) entstand ein neuer Staat. Auf Anordnung der drei westlichen Besatzungsbehörden haben die Deutschen in einem Teilgebiet diesem Staat eine Form gegeben.

Es geschah schrittweise. Zuerst wurden Länder beauftragt, sich eine Verfassung zu geben. Man las den Entwurf in der Zeitung und stimmte alsbald ab. Dann: am 1. Juni 1948 beauftragten die Militärgouverneure der drei westlichen Besatzungszonen die Ministerpräsidenten der Länder, »eine verfassunggebende Versammlung« zu berufen. Die von dieser ausgearbeitete Verfassung sollte nach Genehmigung durch die Gouverneure durch ein Referendum der Länder bestätigt werden. Ein von den Länderparlamenten gewählter »Parlamentarischer Rat«, nicht eine vom Volke gewählte verfassunggebende Versammlung arbeitete das Grundgesetz aus. Es wurde nicht durch öffentliche Diskussionen unter Beteiligung des Volkes vorbereitet. Zu seiner Inkraftsetzung wurde nicht einmal die Zustimmung des Volkes eingeholt. Die Parlamente der Länder bestätigten es.

1. Provisorium oder eigenständiger Staat

Es war die Meinung der Militärgouverneure und des parlamentarischen Rates, daß die deutsche Einheit wieder hergestellt werden sollte. Da sich aber die Sowjetzone nicht beteiligte, sollte das Grundgesetz nur als Provisorium gelten. In der Präambel: ». . . von dem Willen beseelt, seine nationale und staatliche Einheit zu wahren . . . hat das deutsche Volk . . . um dem staatlichen Leben für eine Übergangszeit eine neue Ordnung zu geben, kraft seiner verfassunggebenden Gewalt dieses Grundgesetz der Bundesrepublik Deutschland beschlossen . . .« Und § 146: »Dieses Grundgesetz verliert seine Gültigkeit an dem Tage, an dem eine Verfassung in Kraft tritt, die von dem deutschen Volke in freier Entscheidung beschlossen worden ist.« Gemeint ist das deutsche Volk einschließlich der Bewohner der Sowjetzone.

1948 war die Lage noch nicht so übersehbar wie heute. Im Rückblick läßt sich leicht erkennen, daß eine Einheit mit der Sowjetzone unmöglich war, es sei denn, daß man eine politische Struktur zugelassen hätte, durch die der Weg zur totalitären kommunistischen Herrschaft mit den erst seitdem bekannt gewordenen russischen Manipulationen eingeleitet worden wäre. Rußland hatte 1945 versprochen, daß es in die inneren politischen und sozialstrukturellen Verhältnisse Rumäniens, Ungarns, der Tschechoslowakei usw. nicht eingreifen werde. Es tat auf eine nicht gleich durchschaute, noch keineswegs von jedermann begriffene Weise das Gegenteil.

Heute ist es klar: Das Grundgesetz ist in der gegenwärtigen Form noch nicht die Verfassung eines neuen Staats auf deutschem Boden, der kraft eigener Vollmacht und kraft des sich selbst durchsichtigen politischen Freiheitswillens sich zu verwirklichen strebt. Das Grundgesetz ist von vornherein gefangen in dem Anspruch der Wiedervereinigung, der nur unter bestimmten politischen Bedingungen ein richtiges politisches Ziel verfolgen, aber nicht selbst ein absolutes Ziel sein kann.

Das Provisorium ist auf zweifache Weise aufhebbar. Entweder erklärt die Bundesrepublik sich zu dem, was sie ist, zu einem neuen deutschen Staat; dieser Weg ist wahrhaftig, auf ihm stellen sich die großen Aufgaben des Staats, seine innere Struktur, sein Ethos und neues Leben zu finden. Oder die Bundesrepublik erklärt, sie sei kein neuer, sondern die Fortsetzung des früheren deutschen Staats, sie umfasse auch die Sowjetzone, die ihr geraubt sei und rechtlich zu ihr zurückkehren müsse; dieser Weg führt die Bundesrepublik nicht zu der gebotenen Politik des Möglichen, sondern belastet sie mit einer Fiktion. Die Wiedervereinigung ist als außenpolitisches Ziel etwas, worüber man verschiedener Meinung sein kann. Die Wiedervereinigung, die die Verfassung selber bestimmt, nimmt dieser die Freiheit ihrer Eigenständigkeit.

Jede Halbheit, mit der man beide Wege zugleich beschreiten möchte, gefährdet eine klare Politik. Solche Halbheit liegt vielleicht schon in dem absichtlichen Vermeiden des Wortes Provisorium bei der Begründung des Grundgesetzes. Sie liegt heute in der Wendung, die Bundesrepublik sei mehr als ein Provisorium, das heißt also doch: auch Provisorium. Klar ist nur ein Satz: Die Bundesrepublik ist kein Provisorium, sondern ein neuer Staat.

2. Wie die Aufgabe der Gründung eines neuen Staates 1945 aussah

Die Situation der Deutschen 1945 war die vor dem Nichts. Es gab keinen deutschen Staat mehr. Die überlebende Bevölkerung wurde von den Besatzungsarmeen der Sieger verwaltet. Alles schien möglich, endgültige Vernichtung und einzigartige Wiedergeburt: Auf Grund der unerhörten Erfahrungen mit sich selber konnten die Deutschen eine der Ungeheuerlichkeit der Umwälzungen entsprechende tiefe Wandlung vollziehen. In dem Nichts der Gegenwart konnte der Ursprung aus tausendjähriger Herkunft zur Geltung kommen. Die schöpferische Freiheit konnte aufbrechen.

Leicht kann man diese Stimmung von 1945 ironisieren. Damit hat man vorläufig recht behalten. Aber diese Ironie entspringt aus der Verachtung des Menschen und seiner selbst, mit dem Schein eines politischen Realismus, der sich als bodenlos erweist.

Politisch sah die Herrschaft der Siegermächte unabänderlich aus. Eine totale Vernichtung erfolgte nicht, weil die westlichen Alliierten an Freiheit und Menschenrechte glauben. Die Amerikaner waren von vornherein zu unerwarteter, in der Geschichte noch nicht dagewesener großmütiger und wirksamer Hilfe bereit.

Man sprach von Umerziehung. Wir wußten, daß ein Volk sich nur selbst erziehen kann. Unser politisches Denken mußte in der Praxis durch unsere eigene Kraft des Geistes und der Seele wachsen. Dazu mußte uns der Raum und die Zeit gegeben werden.

Einem Amerikaner, der mich um meine Meinung fragte über den Plan, Länderparlamente zu schaffen, sagte ich unter anderem etwa: Sie sollten nicht Menschen, die politisch Kinder oder politisch verdorben sind, gleich so große Aufgaben stellen. Selbsterziehung in der Politik muß schrittweise vor sich gehen. Hier in Heidelberg sehen Sie z. B., wie gerade die Bauern empört sind, daß die Kartoffelpreise zu niedrig sind (sie bekamen 3 Mark für den Zentner), die Städter empört, daß sie zu hoch sind (sie zahlen 12 Mark für den Zentner). Beide müßten etwas tun, sich zusammensetzen, beraten und unternehmen, was die Sache in Ordnung bringen kann. Aber alles wartet auf den Staat. Den gibt es jetzt nicht. Die offiziell noch nicht wieder existierende sozialdemokratische Partei bietet sich an, die Funktion des Staats zu übernehmen. Politisches Verhalten aber bedeutet nicht, von der Obrigkeit die Dinge zu erwarten, sondern eigene Aktivität. Diese kann in der Praxis der Gemeindeverwaltung geübt werden an konkreten Aufgaben, noch ohne Parteien. Sie sollten zuerst die Gemeindefreiheit herstellen, und langsam die Freiheiten und Verantwortungen der Deutschen vermehren, bis sie, vielleicht nach zehn Jahren, die volle demokratische Freiheit dem deutschen Staatswesen im ganzen zuerkennen. Die faktische Verantwortung der Staatsführung liegt ja doch bei den Besatzungsbehörden. Diese sollen sie auch wirklich übernehmen und erst langsam begrenzen. Dann könnte sich in praktischer Arbeit ein politischer Geist bilden. Neue Gruppen würden entstehen und nach einiger Zeit Parteien. Die durch die Ereignisse gereifte Jugend würde ein stärkeres Gewicht bekommen. Etwas Ursprüngliches könnte wachsen. So wie Sie es machen wollen, geschieht etwas anderes: Wieder zur Geltung kommen die alten Parteien und die überlebenden Politiker, die in dem noch gar nicht politisch erzogenen Parteidenken der Weimarer Zeit ihren Boden haben und in der Denkungsart nur wiederholen, was war. Jetzt wollen Sie uns mit Freiheit überschütten und werden damit vielleicht die Keime der Freiheit bei uns ersticken.

Der Amerikaner antwortete: Sie haben wahrscheinlich recht. Aber den Weg, den Sie angeben, können wir nicht beschreiten. Unser amerikanisches Volk würde solche Verwaltungsweise trotz ihres Ziels als koloniale Regierung ansehen, und diese widerspricht seinen Grundsätzen. Und außerdem würden wir den Russen ein böses Beispiel geben. Denn sie würden daraufhin in ihrer Zone ebenfalls selber regieren und das kommunistische Wirtschafts- und Sozialsystem durchführen.

3. Die faktische Entstehung des neuen Staats

Die Amerikaner waren gewillt, die Verantwortung für die äußere Sicherheit und für die Abwehr von revolutionären Gefahren aus der Bevölkerung zu übernehmen. Die amerikanische Besatzungsbehörde wollte sich aber von der Verantwortung für die Verwaltung der Deutschen entlasten, im Glauben an die Demokratie als Apparatur, die funktioniert, wenn man sie nur einrichtet. Die Folge war: Den Deutschen, denen die Freiheit geschenkt wurde, wurde keine Diktatur aufgezwungen, aber unter dem Namen der Freiheit die Herrschaft politisch diskreditierter Parteiorganisationen und ihrer alten Parlamentarier. Die durch das Schicksal kompromittierten Politiker der Weimarer Zeit konnten nun wieder mit dem geistig heute so arm gewordenen Parteiwesen das politische Treiben fortsetzen, wohlbehütet durch die Amerikaner, solange es die Weltsituation gestattet.

Das Volk hatte keine Zeit, sich selber politisch zu erziehen, blieb politisch passiv, hatte nur bei den Wahlen die Stimme abzugeben, mit den Jahren immer mehr unwillig, weil die Wahl zwischen den vorgesetzten Möglichkeiten wirklich als Zwang empfunden wurde.

So war auch das Grundgesetz kein aus dem Volk entspringendes, demokratisch gewachsenes, auf die Voraussetzungen im Denken der Bevölkerung sich gründendes Gebilde. Es war von den Siegern nicht etwa direkt aufgezwungen, sondern auf ihre Anweisung in Formen demokratischer Legalität von Deutschen verfaßt.

Darum ist es künstlich. Trotz radikaler Unterschiede der Gesamtsituation ist das mit ihm begründete politische Wesen die Wiederherstellung des parlamentarischen Zustandes vor Hitler. Die Modifikationen sind technisch wichtig, besonders diejenigen, die den schnellen Wechsel der Regierungen unmöglich machen. Aber der Geist der volksfremden parlamentarischen Verfassung ist derselbe geblieben. Wir haben das Glück gehabt, daß einige hervorragende Männer mit dieser Verfassung für partikulare Zwecke bisher erfolgreich arbeiten konnten, aber doch unter der Bedingung, daß das Ganze unter dem Schutz Amerikas steht.

Eine Wandlung des politischen Geistes war nicht vollzogen. An die Stelle einer Neuschöpfung aus der demokratischen Idee trat das Programm der Wiederherstellung der deutschen Einheit. Der Wunsch nach der doch faktisch zerrissenen politischen Kontinuität deutscher Geschichte war mächtiger als die Kraft zur Neugründung. Der Mut zu einer beschwingenden Neuschöpfung aus der sogleich in alle Kreise zu tragenden und durch sich selbst zu bewährenden demokratischen Idee war noch nicht da.

Die Schöpfer des Grundgesetzes vermochten in jener Situation noch nicht klar zu sehen, daß unter der Vorstellung eines Provisoriums es sich tatsächlich um die Grundlegung eines neuen Staates handelte. Das machte dieses Grundgesetz zweideutig. Und darum war es auch schwach. Es konnte bis heute als »Geist der Verfassung« keine Wurzeln im Volke gewinnen.

Der Geist der ideenlosen, manipulierenden, ratlosen, opportunistischen, sich selbst nicht vertrauenden, von Scheinbarkeiten lebenden Demokratie vor 1933 war noch wirksam. Er hatte sich selbst der radikalen kritischen Prüfung nicht unterworfen. Man verwechselte Veränderungen, die als technische Sicherungen gegen eine Wiederholung eines totalitären Regimes gemeint waren, mit einer Neuschaffung, die nur unter lebendiger Beteiligung des Volkes möglich ist.

4. Papierene und lebende Verfassung

Papierene Verfassung ist die mechanisch verwendete Grundlage von Rechtsentscheidungen. Im politischen Leben wird sie ein Instrument für die Operationen der Politiker, ein kostbares, weil die Befolgung von Recht verlangendes Werkzeug. Als solche hat es sich bei beschränkten Ansprüchen eines unter dem Schutz Amerikas lebenden Staates bewährt.

Sie wird im faktischen Wandel nur gleichsam lebendig, wenn sie durch verfassungsgemäßen Beschluß abgeändert oder durch Zusätze vermehrt wird.

Aber das Grundgesetz ist noch nicht die eigentlich lebende Verfassung, das heißt nicht die in den Herzen des Volkes lebende, als Bedingung allen politischen Daseins erfahrene und erkannte Verfassung. Sie müßte es werden, wenn dieser deutsche Staat aus sich heraus Kraft, Dauer und Zukunft gewinnen soll. Sonst bleibt die Bundesrepublik trotz aller wirtschaftlichen Erfolge und trotz aller praktischen Tüchtigkeit in zweckhaften Dingen nur Objekt und Material der Politik der großen Mächte in Ost und West.

Erst wenn das Grundgesetz lebendige Verfassung ist, stellt sich der Staat mit ihr auf sich selbst. Durch seine Verfassung schafft er den unantastbaren, jedem Bürger bewußten Bezugspunkt für den Rechtszustand und das politische Handeln.

Die sittlich-politische Grundlage der Staatsgemeinschaft kann heute weder der christliche Glaube, noch eine Art des Marxismus, noch irgendeine Weltanschauung sein, sondern nur das, was alle Staatsbürger gemeinsam bejahen können, die politische Freiheit als Idee, durch die die Daseinsgrundlagen behauptet werden, auf denen dann die Freiheit der einzelnen Menschen in ihrer Mannigfaltigkeit der Glaubensweisen und Lebensformen, der geistigen Kämpfe und der Selbsterziehung gedeihen kann. Leugnet man diese Möglichkeit, dann bleibt keine Hoffnung für politische Freiheit.

Der Sinn der Bürger für die Unantastbarkeit der Verfassung ist das Fundament des politischen Daseins und der möglichen Sicherheit. Es ist der einzig schützende Hort der Freiheit.

5. Die Aufgabe in der gegenwärtigen Lage

Die Bundesrepublik ist entstanden aus dem Nichts dank dem Willen der bis heute schützenden Westmächte, kraft der Tüchtigkeit des arbeitenden Volkes, der Klugheit der Wirtschafts- und Finanzpolitik von

Sachkundigen. Sie hat eine Weltgeltung dank der Außenpolitik Adenauers. Was 1945 und noch 1949 unmöglich schien, ist infolge günstiger Umstände wirklich geworden. Und doch hat der neue Staat etwas Unheimliches, Ungewisses in sich. Das Wirtschaftswunder verschleiert die Grundfragen. Trotz allen Glanzes fühlt man sich wie auf einem Sumpfe gehend. Die Bundesrepublik hat sich noch zu bewähren, ja, als Staat sich eigentlich erst hervorzubringen.

Der Geist dieses Staates, schlummernd in deutscher Seele, muß noch geboren werden. Es ist die Schicksalsfrage, ob nach der Notlösung eines nur formell gegründeten Staats eine substantielle Erneuerung dieses Staats möglich ist.

Was sich 1945 als Traum erwiesen hat, weil die Amerikaner die Deutschen den Weg politischer Selbsterziehung nicht gehen ließen, soll das nicht nachträglich, nun die Not überwunden ist, möglich sein? Ist durch die formale Einrichtung der parlamentarischen Demokratie nicht ein freier Raum geschaffen? Ist nicht die Chance da, um aus der Wurzel des Volkes die Gesinnung politischer Freiheit hervorzurufen und wachsen zu lassen?

Der Staat wird eigenständig und bleibt nicht provisorisch. Das Festhalten aber an einem politischen Deutschland-Gedanken, der der Vergangenheit angehört und heute eine Illusion ist, scheint mir infolge seiner politischen Unwahrhaftigkeit das große Unheil zu sein für Deutschland selber und für das Abendland.

6. Die Frage der Neuformung der Verfassung

Die Konsequenz unserer Überlegungen ist: Was als Grundgesetz 1948 unter den damaligen Bedingungen hingestellt werden mußte (es gab nach dem Willen der Besatzungsmächte keinen anderen Weg), ist heute in der Gesamthaltung untauglich geworden. Aus dem Grundgesetz sollten die Zweideutigkeiten seiner Herkunft herausgelöst werden.

Als substantielle Voraussetzung galt das deutsche Einheitsbewußtsein, nicht der Wille zu der großen Aufgabe, ein Staatswesen innerpolitischer Freiheit mit demokratisch lebenden, urteilenden, erzogenen Menschen zu schaffen.

Der pseudodemokratische Wille, nicht beschwingt durch die große demokratische Idee, beschränkt sich darauf, ein aus überlieferten Prinzipien zusammengefügtes, der kontrollierenden Beurteilung der Besatzungsmächte unterliegendes Grundgesetz wie eine Gemeinschaftsarbeit in einem staatswissenschaftlichen Seminar zu verfassen. Die Präambel sagt: »Hat das deutsche Volk ... dies Grundgesetz beschlossen«, – nein, das deutsche Volk war gar nicht dabei und kennt es bis heute nicht.

Die Herausarbeitung unseres selbständigen Staatsbewußtseins setzt voraus, daß wir uns eingestehen und stets gegenwärtig haben: unsere Existenz als freier Staat ist gesichert durch die Anwesenheit amerikanischer Truppen in der Bundesrepublik und in Berlin. Wir müssen wissen: Ziehen die Amerikaner ab, so sind wir wahrscheinlich verloren, nicht im gleichen Augenblick, aber auf die Dauer. Schon im Winter 1945 sagte ein hellsichtiger Mann zu Amerikanern: »Was werden wir tun, was wird geschehen, wenn Sie auf Ihre Schiffe gehen?« Seitdem ist mir immer klarer geworden: Arbeiten wir bedingungslos mit dem gesamten Abendland unter faktischer amerikanischer Hegemonie zusammen, so können wir unsere innenpolitische Freiheit und die einzig mögliche relative Sicherheit in dieser Weltlage gewinnen. Die Einschränkung unserer Souveränität ist Bedingung unserer Fortdauer. Sie allein schützt uns gegen Rußland und gegen jene Mächte in uns, die im Hitlerstaat ausbrachen.

Souveränität im alten Sinne besitzen heute nur Amerika, Rußland und China. Alle anderen Staaten werden als souverän behandelt. Sie selbst behaupten, es zu sein. Im Namen der Souveränität machen sie ihre politischen Torheiten. Ein Akt der eigenen politischen Größe ist es, dies zu durchschauen. Aller durch die alte Souveränität ermöglichte Übermut fällt dahin. Eine neue Weise der Souveränität ist heute die wahre: die bescheidene, tapfere, verantwortliche Mitarbeit an der Vernunft in der Welt, und dies auf dem Boden der der Bundesrepublik faktisch freigegebenen politischen Strukturierung des eigenen Staates und der Entwicklung des politischen Bewußtseins im eigenen Volk.

Von anderen Punkten, die bei einer Neuschöpfung des Grundgesetzes aus der politischen Arbeit des gesamten Volkes in Betracht kommen, nenne ich nur:

Die Klarheit über die entscheidende Rolle der dem Volke sichtbaren staatsmännischen Persönlichkeiten, besonders in bezug auf die Rolle des Bundespräsidenten.

Hierzu einige allgemeine Bemerkungen: Parteien, die nach der Zugkraft von Personen bei den Wahlen fragen, die daher widerwillig eine Persönlichkeit zulassen, mit Abneigung gegen sie und mit der Zuneigung zum Typus des unpersönlichen Funktionärs, dürfen nicht die letzten Instanzen sein; – dieser Mangel an Großsinn für das Überragende ist zugleich ein Mangel an Blick für eine Grundwirklichkeit des Politischen; – der Neid hat überall das Gemeine zur Folge, die Liebe zum Überragenden ist ein Grundzug eigentlichen Menschseins; – durch das gegenwärtige Grundgesetz geht ein Zug von Ängstlichkeit und Subalternität der Denkungsart von Parteien; – die Bevölkerung selber sollte darüber nachdenken, um sich von der Diktatur der Parteien wenigstens zum Teil zu befreien; einer der tollsten Fälle des Parteienhochmuts zeigte sich im Falle Schlüter und dem Widerstand der Göttinger Universität, als SPD und FDP bei der Unverschämtheit, eine unqualifizierte Persönlichkeit als Minister für Universität und Schulen einzusetzen, sich auf ihr demokratisches Recht als einmal gewählte Vertreter beriefen; – daß es schlechte Führer gibt, darf nicht zur Folge haben, daß es überhaupt keine Führer geben soll; – nicht allein der Mechanismus von Sicherungen hält einen Staat, sondern der Blick der Bevölkerung und der in den Regierungen und Organisationen entscheidenden Menschen für die überragende Persönlichkeit; hierin zu irren, ist im privaten Leben wie im Staatsleben das Verderben; in der richtigen Wahl an dieser Stelle liegt das Geschick des Ganzen; – daher die große Frage: wo ist die andere Macht, die den Parteien das Gleichgewicht hält und sie in ihre Schranken weist? In der Demokratie soll das Volk beide Mächte hervorbringen: das Plebiszitäre ist immer wieder zu bedenken; zwar entspricht der Entartung der Parteien, die wir erleben, die Entartung des Plebiszits, aber die Parteien selber lassen in der Not Männer erwachsen, aus ihnen gegen sie selber, die mehr plebiszitär als parteilich gewählt werden; heute können nur solche Männer mit den Parteien, ihnen überlegen, wirkliche Politik machen; – Max Webers These von der eigenen Macht des Bundespräsidenten ist von neuem zu prüfen; – nicht irgendwo ein Diktator, sondern überall Persönlichkeiten, unter Kontrolle der Kritik und der termingesicherten neuen Entscheidung über sie, ist die Notwendigkeit politischer Freiheit; – eine Demokratie ohne Aristokratie in ihr ist Ochlokratie und zerstört sich selber; – wie ist diese Grundeinsicht in der Bevölkerung und mit ihr in der Verfassung zur Geltung zu bringen? Es ist das uralte, unter den Bedingungen unseres Zeitalters wieder auftretende Problem.

Ferner: die Kraft des Föderalismus; – der Ausschluß der Bundeswehr von aller politischen Öffentlichkeit; – der Einbau der Mittel zur Abwehr und zum Kampf gegen das Totalitäre und alles dessen, was dahin drängt.

Der Sinn für Freiheit, der nicht beliebige Willkür zuläßt, vielmehr die »Freiheit« zum Freiheitswidrigen beschränkt, und der eine begründete Autorität zu seiner Bedingung hat, kommt im Grundgesetz nicht genügend zur Geltung. Die Präambel ist zu kurz und, wie sie ist, nicht glaubwürdig. Eine Verfassung braucht die einfachen, sich sogleich als überzeugend einprägenden Sätze. Sie ist selber ein Mittel der politischen Erziehung. Erst als Folge des in ihr sich kundgebenden Grundwillens geschieht die juristische Festlegung von Normen.

7. Der mögliche Vorgang der Wiedergeburt der Verfassung

Das Werden der Bundesrepublik zu einem eigenständigen Staat könnte daran gebunden sein, daß aus dem Grundgesetz durch Neuformung erst eigentlich eine Verfassung wird.

Wenn die Beflügelung durch ein selbständiges Staatsbewußtsein kraft seiner sittlich-politischen Klarheit in die Breite der Bevölkerung getragen wird, wenn das Vakuum, in dem wir auf die Dauer politisch nicht zu leben vermögen, durch eine vom Volk getragene Verfassung erfüllt würde, dann wäre nachgeholt, was 1948 noch nicht geschehen konnte. Statt der technischen Konstruktion eines Grundgesetzes würde die Geburt einer Verfassung sich vollziehen. Viele Teile des jetzigen Grundgesetzes würden als vortrefflich übernommen, aber in der Öffentlichkeit noch einmal durchdacht und geprüft werden.

Ich träume diesen Vorgang einer Staatswerdung durch Geburt der Verfassung aus dem Volkswillen so:

Das Grundgesetz, bis jetzt der dem Volke unbekannte Notanker, wird zur Wahrheit der Verfassung eines unter den gegenwärtigen Daseinsbedingungen seiner selbst sich bewußt werdenden Staates.

Vorbereitende öffentliche Diskussionen am Leitfaden bestimmter Verfassungsfragen erziehen die Bürger zur Teilnahme am politischen Denken. Für die Verfassung relevante Ereignisse geben dazu Anlaß (vgl. S. 97 ff.). Der Ernst der Fragen macht die Bürger wach, wenn Kundige sie die praktische, leibhaftig wirksame Bedeutung lehren. Es bilden sich Kreise, in denen kurze, klare Texte bedacht und besprochen werden. Aus ihnen gehen führende Männer hervor, die die gewonnenen Überzeugungen durch die Städte und Länder tragen. Die Presse nimmt auf, führt und wird geführt.

Jetzt herrscht in der Bundesrepublik noch eine Scheinruhe, in der das Wesentliche, das gar nicht in Ordnung ist, durch die ständige Betriebsamkeit verdeckt wird. Dann aber wird die große, wahre Unruhe lebendig werden dort, wo alle wesentlichen Entscheidungen ihren Ursprung haben. Es enthüllen sich die Grundantriebe. Die gegenwärtigen Deutschen werden sich offenbaren im geistigen Kampf. Die großen Ziele werden gezeigt, die Phantome entzaubert werden.

Ich träume weiter: die Parteien werden sich wandeln aus Organisationen allein des Kampfes um die Macht, mit rücksichtslosen Manipulationen des Stimmenfangs, zu Mitteln der politischen Erziehung. Denn mit der im Volke wachsenden Wahrheit werden die Propagandamittel durchschaut. Die Parteien sehen im Blick auf die Wahlstimmen die Zugkraft fragwürdiger Versprechungen schwinden. Sie müssen der Vernunft genügen, die schließlich auch die meisten Stimmen bringt.

Der Politiker wird zum Staatsmann dadurch, an welche Antriebe im Volke er sich wendet. Er ruft aus der Tiefe nicht den Wahn und die Wildheit, nicht die Dummheit und Verführbarkeit, sondern die Vernunft der Völker. Er gibt den Interessen ihr Teil, aber begrenzt ihre Ansprüche.

Gewiß, das alles ist ein Traum. Jeder glaubt zu wissen: das geht nicht; die Menschen sind nicht so. Aber man kann auch wissen: die Menschen haben unvoraussehbare Möglichkeiten in sich. Der zur Zeit nur zu träumende Vorgang – vielleicht ein Wahrtraum – würde ein mächtiger Faktor der politischen Selbsterziehung eines Volkes, das sich als Volk darin überhaupt erst politisch konstituiert.

Ein Traum ist kein Programm. Er ist vielleicht ein Maßstab, an dem man die Realität deutlicher sieht, und er drückt eine Hoffnung aus. Ich sehe das Lächeln mancher Staatswissenschaftler und Soziologen über solche Träume. Die Lehren der Geschichte widerlegen nach ihrer Meinung alle Träume. Diese Lehren aber führen faktisch zur Menschenverachtung und Hoffnungslosigkeit. Wenn sie recht haben, so ist der Untergang unseres Volkes und der Menschheit besiegelt. Die soziologischen Literaten tragen inzwischen ihre Aspekte vor, fast gleichgültig, ob sie ihre Denkungsart in einem nationalsozialistisch oder kommunistisch totalitären oder in einem formaldemokratischen Staat, immer den Herrschenden dienend, praktizieren.

Leugnet man die Möglichkeiten des Weges unter der Idee der Demokratie, so bliebe entweder nur die formale Demokratie, deren Unfähigkeit heute allen Einsichigen bekannt ist. Oder es bliebe der vergebliche Anspruch der christlichen Kirchen, allen Menschen die Glaubensgrundlagen für die wahre Politik geben zu können. Oder es bliebe der im Rahmen totaler Herrschaft erfolgreiche Anspruch des Marxismus. Daß der Freiheitswille zum Menschen als Menschen gehört, sobald er sich zu dem Bewußtsein heraufgearbeitet hat, daß die politische Freiheit keinen bestimmten Glauben, aber den Ernst voraussetzt, der sich in mannigfachen religiösen und philosophischen Glaubensformen gründet, ist selber der Glaube, ohne den alle Hoffnung auf politische Freiheit und damit auf Fortbestehen der Menschheit hinfällig wird.

Bismarck sagte: Setzen wir Deutschland in den Sattel, reiten wird es schon können. Nein, Bismarck hat seit diesem Wort 25 Jahre lang das Volk seines Staats nach drei anfänglichen Kriegen außenpolitisch großartig geführt, ohne daß es vom Volk und von der Beamtenbürokratie auch nur begriffen wurde. Er hat das Volk nicht reiten gelehrt, sondern diese Lehre geradezu verhindert. Nach Bismarcks Ausscheiden wurde langsam die Folge sichtbar: Ein zum Reiten noch nicht erzogenes Volk, eine zum Reiten unbefähigte Herrschaftsgruppe von Kaiser, Beamten, Generälen, nun im Sattel sitzend, ließ das Pferd übermütige und dumme Sprünge machen und schließlich dahinrasen, bis, nach wechselnden politischen Gestaltungen, die Welt am Ende dies Pferd nicht mehr für ein Pferd, sondern für einen tollen Hund hielt, den sie niederschlug. Da standen wir 1945. Heute ist die große Aufgabe, reiten zu lernen im Schutze des Abendlandes und mit ihm solidarisch. Gelingt das nicht, so ist nicht nur der neue deutsche Staat, sondern wahrscheinlich viel mehr verloren. Wenn wir das Schrecklichste erlebt und getan haben, sollten wir dadurch zur tiefsten Einsicht fähig geworden sein. Was Bismarck nicht getan hat, soll ein Teil des deutschen Volkes selber tun.

V. ZWEI DEUTSCHE STAATEN?

Was statt der früheren deutschen Einheit schließlich wirklich werden wird, weiß niemand. Aber man kann sehen, was gegenwärtig Realität ist, welche Wandlungen heute erfolgen, welche Tendenzen zu spüren sind. In der Weise des Wahrnehmens zeigt sich die politische Denkungsart: ob man Forderungen erheben und Entscheidungen des Tages treffen mag mit beschränktem Gesichtsfeld in blindem Drang unter beliebigen Argumenten, oder ob man bereit ist, die Dinge jeweils folgerichtig durchzudenken; ob man unter den realen Bedingungen als höchstes Ziel die Freiheit und die Würde des Menschen, beginnend in der eigenen Umwelt, setzt; ob man seine Entschlüsse lenken will in einer Atmosphäre von Wahrhaftigkeit und einem weiteren Blick auf die Realitäten am höchsten Maßstab.

1. Deutscher Staat und annektiertes Gebiet

Es gibt heute nur einen deutschen Staat, die Bundesrepublik. Rußland und seine Marionetten in der Sowjetzone behaupten, es gäbe jetzt zwei deutsche Staaten. Das ist nicht der Fall. Die sowjetische Zone ist kein Staat, sondern eine ausländische Gewaltherrschaft. Die Zone ist annektiert und tatsächlich ein Teil des russischen Imperiums.

Es ist falsch, von russischem Kolonialismus zu reden. Der Kolonialismus, den es heute nicht mehr gibt, war, unter vielen großartigen und grauenvollen Erscheinungen, die Einführung der Menschheit in das von Europa heraufgeführte technische Zeitalter. Der russische Annexionismus ist die Vergewaltigung und Ausbeutung einer technisch hochentwickelten europäischen Bevölkerung.

Die gewaltsame Annexion wird verschleiert durch Benutzung abendländischer Rechtsgedanken. Die Russen lassen das annektierte Gebiet nicht durch Russen verwalten, sondern durch Deutsche. Diese, die nicht auf Grund freier Wahlen Repräsentanten des Volkes sind, werden als eine sogenannte Staatsregierung eingesetzt, mit der Rußland dann »Verträge« macht. Die russische Armee ist anwesend zum Schutze der deutschen Marionetten gegen die deutsche Bevölkerung. Als die deutschen Arbeiter sich empörten, griff die Armee Rußlands, des vorgeblichen Staats der Arbeiter, ein, um die Revolution der Arbeiter niederzuschlagen. Ulbricht mit seiner deutschen Polizei vermochte es damals nicht. Sie war ihm nicht sicher, wenn es gegen deutsche Arbeiter ging.

Diese Marionettenregierung wird von Rußland öffentlich als eine souveräne anerkannt, obgleich sie nach demokratischen Grundsätzen, mangels der regelmäßig sich wiederholenden Wahlen, keine legitime Souveränität besitzt. Diese Regierung gibt ihre Entscheidungen als ihre eigenen kund, trifft sie aber ausschließlich im Gehorsam gegenüber dem russischen Herrn. Wenn einmal versehentlich eine Abweichung erfolgt ist, wird sie sofort korrigiert.

Die Zone, in der das Volk keine freie Selbstbestimmung hat, in der sogar die »Freiwilligkeit« erzwungen ist, kann rechtlich nicht als Staat anerkannt werden. Das zu tun, wäre ein Akt gegen unsere deutschen Landsleute selber und wäre Teilnahme am Betrug, weil Annexion nicht Staatsbildung ist.

Im Anfang der Gefährdung Berlins durch die Methoden Chruschtschows spielte ich mit dem Gedanken, es sei um den Preis der Anerkennung des Ulbricht-Regimes vielleicht ein neuer Vertrag mit Rußland zu gewinnen, durch den der gegenwärtige Status Berlins mit allen Rechten auch im Falle eines sogenannten Friedensvertrages mit dem Ulbrichtregime stabilisiert würde. Das war eine Torheit. Wie leicht täuscht man sich, wenn man die letzten Gründe aus dem Auge verliert und aus der Weltkriegssorge des Augenblicks nur an ihre Behebung denkt!

Das Recht der Selbstbestimmung, das Rußland für asiatische und afrikanische Völker, die es noch nicht in seinen Machtbereich gezogen hat, fordert, verweigert es den in seinen Machtbereich eingegliederten Völkern, den Deutschen der Zone, den Ungarn und allen anderen. An Ungarn hat es das grausame Exempel statuiert, was dem Volke geschieht, das in großartiger Einmütigkeit freie Selbstbestimmung aktiv verlangt. Die freien Staaten mußten zusehen, ohne einzugreifen, wenn sie nicht den Weltkrieg beginnen wollten.

Wenn die Sowjetzone jetzt kein Staat ist, so kann doch die Bevölkerung dieser Zone, wenn ihr einst das Grundrecht der freien Selbstbestimmung gewährt wird, sich einen Staat schaffen. Erst dann würde es zwei deutsche Staaten auf dem Territorium des Bismarckstaates geben. Die Hypothese eines zukünftigen freien deutschen Oststaates hat nichts zu tun mit einer Anerkennung der gegenwärtigen sogenannten Deutschen Demokratischen Republik als Staat.

2. Die gegenwärtige Beziehung zur Sowjetzone

Verhandlungen der Bundesrepublik mit der DDR werden mit Recht verworfen. Sie sind nicht gleichberechtigte Partner. Die Bundesrepublik stützt sich auf freie Volkswahlen, das Ulbrichtregime auf die Russen. Verhandlungspartner wäre nicht Ulbricht, sondern Rußland, das sich dabei verborgen hält. Um nicht einer Täuschung zu verfallen, muß der Anspruch bleiben, mit den Russen selber, nicht mit deutschen Vertretern ihres Willens zu verhandeln.

Das russische Imperium müssen wir anerkennen, weil es eine selbständige, gewaltige Macht ist. Die DDR brauchen wir nicht anzuerkennen, da ihre Regierung keine eigene, sondern nur eine Funktion russischer Macht ist, und weil die deutsche Bevölkerung in ständigem inneren Widerspruch zu ihr steht.

Technische Regelungen, die durch die Tatsache der räumlichen Nähe und des bestehenden Verkehrs nötig sind, können untergeordnete Instanzen treffen, ohne daß dadurch ein Regime anerkannt wird.

Die Anerkennung des Staates im Gebiet der Sowjetzone setzt voraus die Kundgabe der Volksabstimmung durch freie Wahlen, deren Durchführung durch Neutrale kontrolliert und garantiert wird.

3. Das Verhältnis zu Berlin

Die gegenwärtige Situation verlangt vom ganzen Abendland, wenn es solidarisch sich behaupten will, das unbedingte Einstehen für die Freiheit Westberlins, also für die Bewahrung des heutigen Zustandes.

Der Viermächtestatus hat zur Folge: Bundesrepublik und Westberlin sind zwei selbständige, in Freiheit lebende Teile des zerbrochenen Territoriums des Bismarckstaates. Beide haben nicht das Recht, sich zu einem einzigen Staate zusammenzuschließen, der in der Sowjetzone Westberlin als Enklave besäße. Bundesrepublik und Berlin haben die Einheit von Recht, Währung, Sozialstruktur. Die politische Einheit ist verwehrt.

Dies ist das Resultat der russischen Aktionen und der verschiedenen Rechtsauffassung von Ost und West. Die anfänglichen Vorstellungen von Gesamtdeutschland mit der Hauptstadt Berlin wurden immer mehr fiktiv. Die Zerschneidung der Zonen und die Zerschneidung Berlins zeigte in ihrer Gestaltung die immer schärfer gewordene Spaltung und Spannung zwischen Ost und West.

Wenn Bundesrepublik und Westberlin ihre Sicherheit nicht durch eigene Kraft allein, sondern durch den Willen der Westalliierten und ihre Macht haben, und wenn Berlin in den nach Kriegsende beschlossenen Ordnungen kein Teil der Bundesrepublik ist, so sind Folgerungen wie diese unausweichlich:

Die Abhaltung von Bundestagssitzungen in Berlin und die Einrichtung eines Palais für den Bundespräsidenten sind Vorwegnahmen des Anspruchs auf Vereinigung des Staats, in dem Berlin wieder die Hauptstadt würde. Die westlichen Alliierten haben diese Akte bisher geduldet, die Russen sehen sie als Provokation an und nutzen sie als solche aus. Die westlichen Staaten beginnen unwillig zu werden über solche Vorgänge, die unnötige Reaktionen des Ostens erzeugen und innenpolitisch verwirren.

Und ein anderes: Landsmannschaftliche Zusammenkünfte Heimatvertriebener sind natürlich und schön als Pflege der Erinnerung, der persönlichen Beziehungen, des gegenwärtigen, verwandten Fühlens. Als solche sind sie unpolitisch. Sie werden aber in dem Augenblick politisch (und in unserer Lage sinnlos gefährlich), wenn Forderungen auf Wiedergewinn der verlorenen Heimat erhoben werden. Ein Schaden für die Bundesrepublik, für Berlin und die Westmächte ist entstanden, wenn dadurch den Leuten im Osten ein Grund gegeben wird, von Revanchisten, Irredentisten zu sprechen. Es ist ein Vorprellen, das der Geschicklichkeit der Russen Anlaß gibt, ihrerseits vorzuprellen. Wenn solche politischen Zusammenkünfte nach Berlin verlegt werden, wird die Provokation eine doppelte.

Jeder Anlaß, der den Russen gegeben wird, mit einem Schein von Recht das Recht zu brechen, muß vermieden werden. Die Solidarität, die kein Nachgeben in Rechts- und Machtpositionen erlaubt, fordert als dazugehörig, alle Handlungen zu vermeiden, die nicht für diese Selbstbehauptung unerläßlich sind. Nur der Mut der solidarischen Selbstbehauptung hat die Kraft, überflüssige Provokationen zu meiden. Einem erbarmungslosen Feinde widersteht man nicht, indem man ihm Anlaß gibt, mit einem wenn auch nur scheinbarem Recht aggressiv zu werden. Man widersteht ihm dadurch, daß man ihn zwingt, wenn er angreift, dann so anzugreifen, daß er, vor aller Welt offenbar, klare Rechte mit Gewalt unprovoziert verletzt.

Von uns Deutschen ist in dieser Lage der Verzicht gefordert auf ein Ziel, das jetzt überhaupt nicht, in absehbarer Zeit sehr unwahrscheinlich zu erreichen ist, auf ein wiedervereinigtes Deutschland mit der Hauptstadt Berlin. Dieses Ziel ist heute nicht mehr Selbstbehauptung, sondern Mehrwollen.

Wir müssen uns eingestehen: einst war Wien die Hauptstadt des Heiligen Römischen Reichs Deutscher Nation; einst war Berlin die Hauptstadt des deutsch-preußischen Staats. Beide Hauptstädte und

Staaten haben ihre Zeit gehabt. Wenn die Bundesrepublik Dauer hat, zum wirklich demokratischen Staat wird und ein eigenes geistiges und sittlich-politisches Gewicht entstehen läßt, dann wird vielleicht Bonn zu einer neuen Hauptstadt dieses Territoriums mit eigener geschichtlicher Physiognomie werden.

Sollte in künftigen uns noch nicht vorstellbaren weltumfassenden Ordnungen wieder ein Deutschland mit Berlin als Hauptstadt wirklich werden, so würde es sich mehr um ein Verwaltungsgebiet als um einen Staat handeln. Das Ereignis wäre von verwaltungsrechtlichem Charakter, ohne politische Bedeutung.

4. Veränderungen in der Sowjetzone

Die Umwandlung der Sozialstruktur, zuletzt mit der »freiwilligen« Enteignung der Bauern, die sogenannten »sozialistischen Errungenschaften« verändern das Leben der Menschen der Sowjetzone bis in den Daseinsgrund.

Das Erregendste ist, daß, je länger das dauert, nicht mehr mit einer ihrem Wesen nach mit sich selbst identischen deutschen Bevölkerung zu rechnen ist. Was die Älteren fühlen und denken, was sie innerlich erfahren infolge Beraubung und Lüge, an Gewissensdruck, das ist noch gegründet in ihrer Herkunft. Was die Jüngeren denken, das kann anders werden, wo die elterliche Einwirkung, der Hort der Familie geringer wird oder ausbleibt.

Das Aufwachsen in der so völlig anderen Lebensform, mit der Jahrtausende abgebrochen werden, – die den Jungen gewährten vitalen Freuden, – die aller Welt gemeinsame, hier noch gesteigerte technische Denkungsart, – das Ausbleiben der Kenntnis der großen Überlieferungen in deutscher Sprache (die literarischen Ausnahmen sind wichtig, aber in der Wirkung abgestumpft), – die neue Art von Sicherung des Daseins in Betrieben, wenn Gehorsam und Fleiß und Arbeitskraft Genüge leisten, – die Selbstverständlichkeit des bloßen Funktionseins des Lebens, – das alles kann andere Menschen entstehen lassen. Auf die Rasse ist in geistig-sittlichen Dingen, die an Geschichte und Überlieferung gebunden sind, kein Verlaß. Max Weber sagte: Wenn Engländer und Franzosen uns beherrschen würden, so würden wir doch Deutsche bleiben. Wenn aber die Russen uns beherrschen, dann ist das auf die Dauer vielleicht nicht mehr möglich.

Wir müssen vertrauen, daß eine Substanz deutschen Wesens standhält trotz aller Hemmungen und Verführungen. Es bleibt in der

Sprache, in den Familienzusammenhängen, in der Wirkung der noch gestatteten Bücher. Möge Stalin recht behalten: Die Hitlers (und Ulbrichts) kommen und gehen, das deutsche Volk bleibt! Wir dürfen vertrauen über das Deutsche hinaus auf etwas im Menschen von seinem Ursprung her.

Noch viele andere Gefahren drohen; etwa: die Entvölkerung der Sowjetzone und der Mangel an Arbeitskräften könnte, wie gelegentlich zu lesen war, das Terrorregime veranlassen, eine Ansiedlung von Millionen Chinesen einzuleiten. Wir können nur hoffen, daß Rußland selber sich auf ein solches Risiko nicht einlassen würde, dem maßlos wachsenden Volk der Chinesen diese Chance zu eröffnen.

Der Verkehr zwischen der Sowjetzone und uns wird immer geringer. Der anhaltende Strom der Flüchtlinge scheint zu bezeugen, was wir ständig hören: wie unerträglich das Leben dort wird. Sie geben lieber alles preis und fliehen.

Die größte Sorge ist, daß die Freiheit der Selbstbestimmung des eigenen Lebens in der Zone noch lange auf sich warten läßt. Vor der Möglichkeit des Verlustes des Deutschen in Menschen deutscher Herkunft ist alles, auch die Wiedervereinigung, unwesentlich gegenüber der Freiheit. Wir haben den Anfang solcher Entdeutschung in der Hitlerzeit erlebt und wurden gerade noch von außen befreit und errettet. Daran können wir ermessen, was hier in der Sowjetzone im Gange ist.

5. Probleme nach der Begründung eines freien deutschen Oststaats

Was wird aus einem freien Ostdeutschland ohne politische Vereinigung mit der Bundesrepublik? Unsere Landsleute im Osten würden mit uns, wir mit ihnen, wieder in so unbehinderter Kommunikation stehen, daß die Grenze kaum noch fühlbar wäre. Die politische Grenze spielte keine Rolle mehr, auch wenn sie den Unterschied der militärischen Rüstung und das Verbot der Wiedervereinigung brächte. Das Leiden an der Trennung würde verschwinden, außer bei denen, die an Macht und Rüstung als Lebensinhalt, nicht als an eine bittere Notwendigkeit denken. Das vernünftige politische Bewußtsein beruht heute ohnehin darauf, Glied der großen Gemeinschaft der abendländischen Selbstbehauptung zu sein als Mitwirkende oder als Geschützte. Unumgänglich ist das Schicksal des neutralen Staats in der Randlage mit ihren besonderen, aber keineswegs größeren Gefahren in einem neuen Weltkrieg.

Was die Deutschen im Osten nach ihrer Befreiung zum neutralisierten Staat tun würden, das wird durch sie selber bestimmt. Die Aufgaben, die aus den dann zunächst gegebenen wirtschaftlichen, sozialen, organisatorischen, bürokratischen Ordnungen erwachsen, sind so schwierig, daß wohl niemand voraussagen kann, was da entstehen würde.

Ob und wie und wie weit die Umstrukturierung des Ostens zurück zur freien Wirtschaft geschehen solle, ist nicht vorweg mit einem Programm zu beantworten. Was langsam, jetzt schon 15 Jahre lang, durch Plan und Gewalt entstanden ist, läßt sich nicht einfach umwerfen im Sinne einer Restituierung dessen, was vorher war. Mögen die wirtschaftlichen Probleme auch riesengroß erscheinen, die Deutschen haben diese dank ihrer Tüchtigkeit immer gelöst, wenn sie nur die Freiheit dazu hatten. Gewiß ist, daß die Bundesrepublik wirtschaftlich im größten Stile Ostdeutschland im Anfang zu Hilfe kommen müßte.

Wenn aber die Freiheit da ist, kann etwas Neues erwachsen, das jedenfalls überall die persönliche, wahrhaftige und verantwortliche Lebensform ermöglichen würde und den Mut und die Lebensfreude. Es könnten in Ostdeutschland dann Dinge entstehen, die lehrreich und vorbildlich für den Westen würden. Dieser selber ist ja keineswegs vorbildlich in seinen konkreten Verwirklichungen, sondern nur in der Voraussetzung der Freiheit und ihrer Chancen.

6. Was wird aus Berlin?

Nach der Konstitution eines freien Ostdeutschlands hätte Berlin als ein eigenes Gebiet die Freiheit der Selbstentscheidung. Daß die gesamte Bevölkerung aller deutschen Gebiete gemeinsam abstimme und daher die Bevölkerung der Bundesrepublik den etwa anderen Willen Berlins oder Ostdeutschlands überstimmen dürfte, ist heute keine durch erworbene Rechte begründete und auch keine naturrechtliche Forderung. Daher hätte Berlin zu entscheiden, ob es selbständiger kleiner Staat bleiben oder Hauptstadt des freien Ostdeutschlands werden wolle, oder ob es, falls die Mächte dies gestatten würden, auf Grund der faktischen wirtschaftlichen Beziehungen als auswärtige Enklave zur Bundesrepublik gehören möchte.

Kein Zustand ist in der Geschichte endgültig, weder der jetzige, noch der dann zunächst gewählte. Wir wären zufrieden, wenn ein im Rahmen der Weltpolitik relativ dauernder Zustand erreicht würde.

VI. WAHRHEIT UND POLITIK

Wo es sich um Macht handelt, die durch Gewalt besteht, gesichert und auch gefährdet ist, da scheint Wahrhaftigkeit Selbstpreisgabe. Denn die Gewalt geht mit List vor und wird durch List abgewehrt. Auch wo es sich um Macht handelt, bei der die Gewaltanwendung nicht geplant wird, aber im verborgenen Hintergrund steht, ist die Unwahrhaftigkeit durch List das Kampfmittel.

Diese uralten Selbstverständlichkeiten des politischen Handelns sind in dem Augenblick nicht mehr selbstverständlich, in dem der Aufruf der Gewalt zum Untergang der Menschheit führt.

Sie waren längst verworfen, wo die politische Freiheit im Inneren der Staaten die Lebensform bestimmen sollte. Dann galten sie notgedrungen noch in der Außenpolitik, in der sie aus der Gesinnung freier Staaten auf ein Minimum reduziert wurden.

Aber vollendet freie Staaten hat es bisher nicht gegeben. Die besten waren auf dem Wege dahin und verwirklichten damit eine in der Welt sonst nicht vorhandene Höhe der Wahrhaftigkeit.

Heute können wir mit Gewißheit sagen: Nur Wahrhaftigkeit bringt Freiheit hervor und umgekehrt. Erst Freiheit und Wahrhaftigkeit in einem erzeugen das innere Leben des Status, der nach außen zu wirklichem Frieden fähig ist.

Daher gilt heute: an der Wahrhaftigkeit in der Politik liegt es, ob die Menschheit fortbestehen wird. Die Politik selbst wird sich wandeln, wenn das gelingen soll.

Wenn die Würde eines freien Staates in dieser Weltsituation in seinem unablässigen Bemühen um Wahrheit liegt, in sich selber und nach außen, dann erst recht die Würde des ohnmächtigen. Wenn er auf List verzichtet, wird er vertrauenswürdig, obgleich er für die listigen Gewaltmächte unbequeme Wege geht. Denn er läßt das Licht der Wahrheit in die politische Welt strahlen, braucht seine geistige Energie, um die listenfreie Sprache der Wahrheit zu finden.

1. Wahrheit

Wahrheit ist die mächtigste, aber nicht die alleinige Kraft. Dieser Glaube ist der einzige, der für den Gang der menschlichen Dinge ermutigen kann, wenn alles Faktische dagegenzusprechen scheint. Denn in der Politik scheint die Lüge in allen ihren Gestalten als Prinzip zu wirken.

Wahrheit liegt nicht auf dem Tisch. Niemand besitzt sie endgültig. Sie ist wirklich nur dadurch, daß um sie gerungen wird. Die Wahrhaftigkeit hört nicht auf, jede bestimmte Wahrheit von neuem zu prüfen.

Der Wille zur Wahrheit ist identisch mit dem Willen zur Freiheit. Wer aus diesem Antrieb politische Probleme diskutiert, möchte den Raum freien Atmens im Denken erweitern, die politische Luft reinigen.

In den vorliegenden Erörterungen lag mir nicht in erster Linie am politischen Einzelproblem, sondern an der Freiheit und daher an der Wahrhaftigkeit. Die Frage der Wiedervereinigung war schon in meinem Interview nur als Beispiel angeführt. Über das Beispiel und alle besonderen Fragen läßt sich diskutieren. Nicht diskutieren läßt sich über die Voraussetzung aller sinnvollen Diskussion, den gemeinsamen Boden des Willens zur Wahrheit. Der Sinn von Wahrheit aber ist gar nicht einfach. Er läßt sich erhellen (wie ich es in meinem Werk »Von der Wahrheit« versucht habe).

In der politischen Diskussion drängt die Wahrhaftigkeit zur Erkenntnis der Tatsachen und ihrer Konsequenzen, und zur Klarheit dessen, was wir eigentlich wollen.

2. Widersprüche der Bundesrepublik

Wie kommen wir heraus aus den Widersprüchen? wie aus dem Widerspruch zwischen der von einer aus den Länderparlamenten gewählten Gruppe faktisch aufoktroyierten demokratischen Form und dem zerstreut sich zeigenden aktiven politischen Bewußtsein des Volkes, das bisher in die gegebenen demokratischen Formen nicht hineingelangt; aus dem Widerspruch zwischen einem im Grundgesetz fundierten politischen Staatsbetrieb und der Nichtbeteiligung der überwältigenden Mehrzahl; aus dem Widerspruch der politischen Realität und der unter Duldung der westlichen Sieger heute schon unverzichtbar genannten Ansprüche auf Wiedervereinigung; aus dem Widerspruch zwischen der politischen Vernunft, die verborgen durch politische Führer wirksam wird, und dem pseudopolitischen Leben der Öffentlichkeit in Phantomen; aus dem Widerspruch zwischen der nüchternen Härte der großen Politik und dem bloßen Fühlen, Sehnen und Hoffen; aus dem Widerspruch zwischen Freiheitswillen und der Duldung freiheitswidriger Mächte; aus dem Widerspruch, Amerika als die Grundlage der Sicherheit unseres gesamten Daseins zu brauchen und auf Amerika zu schelten; aus dem Widerspruch, durch die Gegenwart der amerikanischen Truppen Ruhe zu fühlen, Angst vor ihrem Abzug zu haben, und dem nationalen Stolz, sie wegzuwünschen?

Keineswegs sind die Widersprüche, wenn man sie in solchen allgemeinen Formulierungen ausspricht, auch schon erledigt. Sie sind vielmehr der Stachel, der vorantreibt. Der erste und wesentliche Schritt ist, daß sie bewußt werden, und daß dieses Bewußtsein einwirkt auf Urteilskraft und Entscheidung in konkreten Fragen.

3. Was ist in der Politik Realität?

Ich höre, gegen die von mir vorgetragenen Auffassungen zur Wiedervereinigung lasse sich nicht einfach protestieren; sie seien menschlich unanfechtbar, aber politisch irreal.

Was ist politisch real? In diesem Fall das Begehren vieler Deutscher und allgemein verbreitete Vorstellungen. Soweit aber Realitäten in Vorstellungen und Willenstendenzen, im politischen Bewußtsein, liegen, lassen sie sich ändern. Psychologisch lassen sie sich durch Propaganda ändern oder befestigen, nämlich durch ständige Wiederholung, durch den Ton der Selbstverständlichkeit, durch Erweckung unbewußter Gefühle. Solche Propaganda, die größte psychologische Macht der Welt heute, ist selber nicht Wahrheit, sie kann Unwahrheit so gut wie Wahrheit verbreiten. Aber in solcher Weise der Verbreitung ist auch die Wahrheit nicht mehr die Wahrheit, soweit sie nicht aus Einsicht ergriffen, sondern durch Propaganda nur übernommen wird.

Wirksame Verbreitung der Wahrheit kann für Wahrhaftigkeit nur auf vernünftiger Einsicht, nicht auf psychologischen Manipulationen beruhen. Für die Einsicht wird die sachliche Propaganda selber zur Verbreitung der Gründe, zum Bekanntmachen von Tatsachen und Sinnmöglichkeiten. Dann wird die bloß psychologische Propaganda durchschaut. Der vernünftige Mensch wird gegen sie immun.

Das politische Denken aber wandelt die Realität der Vorstellungen in der Vernunft selber. Die Kraft und Geduld des Nachdenkens erlaubt sich keine bloßen Meinungen, keine trotzig festgehaltenen Selbstverständlichkeiten, keine als absolut geltenden Gefühle. Die Realität falscher Vorstellungen verschwindet zugunsten der Realität richtiger Vorstellungen. Nicht durchhellte Willensrichtungen können durchhellt werden.

Aber keineswegs liegt es so einfach, daß das Richtige und Falsche als klare Alternative überall vorläge. Nicht nur die menschlichen Meinungen und Vorstellungen und Willensrichtungen ändern sich, sondern auch die Realitäten und die Situationen in der Welt, auf die sie sich beziehen. Daher ist die ständige Aufgabe, miteinander redend die Wahrheit zu finden und die gefundene wieder zu prüfen. Es gibt äußere Realitäten und logische Konsequenzen, die diskutierbar sind bis zu rational zwingender Erkenntnis. Was Ausdruck des Willens ist, ist diskutierbar im Sinne der Klärung dieses Willens, der sich bewußt wird, was er eigentlich will, und dabei zu dem Ergebnis kommen kann, daß er dies eigentlich nicht will.

Wenn die Realität politischen Bewußtseins behauptet wird, so ist diese, weil sie Bewußtsein ist, durch denkende Einsicht zu wandeln. Wenn der Wille zur Wiedervereinigung Realität ist, so gilt für die Wahrhaftigkeit: er darf nicht durch einfache Wiederholung mit jeweils herbeigeholten zufälligen Begründungen, sondern er muß in der Luft heller Einsicht sich bewähren.

In dem bloßen Behaupten und in der Sophistik findet die brutale Gewalt des Daseins ihren Ausdruck, in der Wahrheit unerbittlich tiefer dringenden Denkens findet die geistige Energie politischen Kampfes ihre Sprache.

4. »Richtigstellung der Namen«

Konfuzius, der große chinesische politische Denker, erklärte für das erste Erfordernis eines dauerhaften Staatswesens die Richtigstellung der Namen. Das heißt: die Dinge sollen als das benannt werden, was sie sind, nicht benannt werden als das, was sie nicht sind.

Das Grundgesetz der Bundesrepublik ist als Provisorium für ein vorläufiges Staatswesen gemeint. Entweder soll man es geradezu so nennen. Oder man soll mit Erkenntnis des Tatbestandes aus dem Willen, nicht ein Provisorium zu sein, das Grundgesetz in allem ändern, was faktisch das Provisorium bedeutet.

Es wäre die Frage, ob nicht auch der Name »Bundesrepublik Deutschland« geändert werden sollte. Der Name klingt zwar einfach. Wie leicht aber sagt man »Deutsche Bundesrepublik«, womit man unbewußt der russischen Weise der Zweistaatentheorie verfällt; die andere heißt ja »Deutsche Demokratische Republik«, ein lügenhafter Name. Vor allem aber enthält der Name »Bundesrepublik Deutschland« den Anspruch auf Wiedervereinigung. Wahrer und einfacher wäre »Westdeutschland« für die Bundesrepublik, und für den möglichen zukünftigen zweiten Staat »Ostdeutschland« (analog zu Österreich, dem östlichen Reich) für das Gebiet, das bis dahin Sowjetzone heißt, weil es annektiertes Gebiet und kein Staat ist.

»Mitteldeutschland« hießen früher einmal geographisch die deutschen Lande zwischen Norden und Süden, die Gebirgslandschaften vom Rheinischen Schiefergebirge bis Oberschlesien. Geläufig war der Name Mitteldeutschland für das in der Mitte gelegene Deutschland (Sachsen, Thüringen, Braunschweig) mit seiner großen Industrie. Jetzt soll das Wort für die Sowjetzone gelten, das Land zwischen dem Westen (Bundesrepublik) und den Territorien östlich der Oder-Neiße-Linie, die nicht mehr deutsches Gebiet sind. Dieser Name spricht nun keine geographische oder staatliche Realität aus, sondern eine Forderung nach Heimkehr und Neubesiedlung der einst deutschen Lande jenseits der Oder-Neiße-Linie. Als ob man durch eine andere Sinngebung des alten sinnvollen Wortes, durch eine Wortmagie etwas bewirken könnte! Man bewirkt nur eine irreale Vorstellung und tut etwas, was der »Richtigstellung der Namen« bedarf.

Sollte bei einer Weltlage, in der die territorialen Teilungen Deutschlands unwesentlich geworden wären, dann West- und Ostdeutschland zu einem Staate werden, dann bliebe für dies Ganze der Name Deutschland bereit, den zur Zeit die Bundesrepublik Deutschland für sich als provisorischer Platzhalter für das Ganze fälschlich beansprucht: eine Provokation, die im Grundgesetz fixiert ist.

Der Name »Kuratorium unteilbares Deutschland« ist eine ständige, heute noch geduldete internationale Provokation. Ein Kuratorium »Freiheit aller Deutschen« wäre dies keinesfalls. Es wäre eine Richtigstellung des Namens, die reine Luft schaffen würde.

Auch der Name »Geheimdiplomatie« bedarf der Richtigstellung. Nach dem ersten Weltkrieg wurde die Geheimdiplomatie leidenschaftlich verworfen. In ihr sah man das Unheil. Völker werden gebunden durch ihnen unbekannte Verpflichtungen, die ihre Regierungen eingegangen sind. Diese Verwerfung ist heute so berechtigt wie damals. Offene Diplomatie bedeutet: Verträge, Entscheidungen, Entschlüsse werden ausnahmslos öffentlich bekanntgemacht (im Gegensatz zur früheren Geheimdiplomatie). Sie bedeutet keineswegs, daß die dazu führenden Verhandlungen öffentlich sein müßten.

Das Wort »Geheimdiplomatie« ist aber in seinem Sinn verkehrt worden zu dem Anspruch, alle Verhandlungen und Besprechungen müßten öffentlich sein. Wahrhaftigkeit verlangt das Gegenteil: Nur in Verhandlungen, die in engsten Kreisen und nicht öffentlich vor sich gehen, können die Gründe ausgetauscht, die Auffassungen und Meinungen verändert werden. Die intime Unterhaltung mit dem zuverlässigen, gegenseitigen Einverständnis, von den Gängen der Unterhaltung und den Äußerungen nichts bekannt werden zu lassen, ist allein imstande, die Gedanken und Ziele von beiden Seiten her offenbar werden zu lassen und Entscheidungen, Verträge, Verpflichtungen vorzubereiten. Die Öffentlichkeit schließt das wirkliche Gespräch aus, macht die Positionen starr, verwandelt Verhandlungen in Propaganda. Wahrheit wird viel leichter in unöffentlichen Gesprächen wirklich. In öffentlichen Veranstaltungen, in Massenversammlungen wir sie kund, bestätigt, eingeprägt.

Die unöffentlichen Gespräche Geheimdiplomatie zu nennen und diesen Namen für sie anzunehmen, ist eine Namensverdrehung. Die totalitären Regimes haben den Sinn der Verwerfung der Geheimdiplomatie umgekehrt: Öffentlichkeit verlangen sie für das, was geheim sein sollte, die Verhandlungen; geheim halten sie das, was öffentlich sein sollte, die Entschlüsse, die Abreden mit Bundesgenossen.

Die Richtigstellung der Namen verwehrt Halbheit und Unklarheit. Das Volk wird urteilsfähig, wenn ihm als Material seines Urteils das Einfache, Eindeutige und Klare vorgelegt und zur Gewohnheit wird.

Das Hinweggleiten über Tatsachen und Meinungen durch Unbestimmtheiten, Mehrdeutigkeiten, das Annehmbarmachen durch abschwächende Ausdrücke und Formeln, das ist ein Verfahren alter wie gegenwärtiger Diplomatie, durch das Nebel erzeugt werden, hinter denen man die notwendigen Entscheidungen verzögert, für sich günstige faktische Wandlungen erhofft oder tut, was man will. Es ist die Weise politischer Unwahrhaftigkeit, die nicht geradezu lügt. Zu ihr gehört Kunst. Aber dies ständige Täuschungsmanöver, Menschen zu einigen unter Formeln, bei denen jeder sich etwas anderes denken kann, ist verderblich. Während alle zustimmen, ist doch gar keine Einmütigkeit. Wenn heute nicht der radikale Wille zur Klarheit und Entschiedenheit zur Geltung kommt, lösen sich Täuschung und Lüge nicht auf.

5. Unser Beispiel: Wiedervereinigung und Freiheit

a) Die öffentliche Selbsttäuschung: Alle Parteien fordern die Wiedervereinigung. Sie tun so, als ob diese auf Grund eines Rechtsanspruchs zu fordern wäre. Die Wiedervereinigung wird identisch mit der Selbstbestimmung gesetzt. Die Identifizierung der Forderung der Wiedervereinigung eines Territoriums und der Selbstbestimmung der inneren staatlichen Lebensform ist eine Täuschung. Daher wird territoriale

Wiedervereinigung von der Welt nicht, wohl aber die Selbstbestimmung als solche anerkannt.

Das Leitbild des Bismarckterritoriums (heute zumeist in den Grenzen von 1937 gedacht) für den deutschen Staat identifiziert einen deutschen Staat mit Deutschland überhaupt. Das ist die zweite Täuschung.

b) Die Frage, warum die falschen Identifizierungen stattfinden: Geläufige Argumente sind: die Trennung der Begriffe Einheit und Freiheit sei abstrakt; freie Selbstbestimmung im Osten werde automatisch die Wiedervereinigung zur Folge haben; das freie, neutrale Österreich sei kein für einen Vergleich passendes Beispiel (Österreich wolle gar nicht die Einheit mit der Bundesrepublik, wohl aber die Bevölkerung der Sowjetzone). Diese Argumente gehen am Kern der Sache vorbei.

Ich sehe etwas anderes: Einheit ist greifbar, leibhaftig, eine dadurch zwingende Parole. Freiheit sieht man nicht, man fühlt sie nicht, daher ist sie keine zwingende Parole. »Das Reden von Freiheit hängt einem zum Halse heraus«, heißt es vom Osten her. Wissen die Durchschnittspolitiker und die Stimmbürger der Bundesrepublik vielleicht noch nicht, was eigentlich politische Freiheit ist? Weil alle, in West und Ost, links und rechts Freiheit rufen, ist das Wort zur Vokabel entwertet. Verschwindet die große, zündende und zu jedem Opfer fähig machende Idee? Hört man nicht: Ach was, Freiheit! Wir wollen leben und wollen zueinander?

Ist eine täuschende Symbolkraft am Werke? Wird die territoriale Einheit (eine Sache der Größe der Macht) als Greifbarkeit zum Symbol der Freiheit (der Möglichkeit lebenswerten Lebens), soweit dies gefühlt wird? Ist in Verkehrung die zwingende Parole »Wiedervereinigung« an die Stelle der nicht zwingenden Parole »Freiheit« getreten? Ist daher die Vorstellung der Wiedervereinigung wirkungskräftig, die Idee unseres politischen freien Daseins machtlos?

Wäre es so, so könnte es nur anders werden durch Änderung der Vorstellung mittels Richtigstellung der Namen. Diese setzt hier voraus, daß in der Bundesrepublik die Idee der politischen Freiheit nicht nur gekannt, sondern gelebt und bezeugt wird.

c) Hoffnung und Illusion: Es wird gesagt: Da wir ohnehin zur Zeit gar nichts erreichen können, müssen wir den unterdrückten Deutschen Hoffnung, wenn auch durch ein Phantom, die Wiedervereinigung lassen. müssen die Hoffnung nähren, ihnen zeigen, daß wir auf die Wiedervereinigung mit ihnen warten.

Darauf antworte ich erstens: Durch eine Täuschung die Hoffnungslosigkeit aufzuheben, wird nicht mehr lange gelingen. Eine größere Hoffnung besteht, wenn man Wiedervereinigung nicht als Ziel setzt, aber die Freiheit und nur die Freiheit vor aller Welt immer von neuem fordert. Für die Wiedervereinigung lassen sich schlechte Begründungen auf ein durch die Herbeiführung der Katastrophe verspieltes territoriales Recht anführen, die für die Welt nicht gültig sind. Für die Freiheit läßt sich ständig auf die Tatsachen des gegenwärtigen Zustandes, auf die ständig vermehrte Freiheitsberaubung, auf den Sinn politischer Freiheit weisen. Das sind für jeden freiheitliebenden Menschen durchschlagende Argumente. Territoriale Grenzen sind ein Einzelinteresse, das historisch wandelbar ist, Freiheit ist ein Allgemeininteresse, das die Menschheit angeht. Wenn diese Gedanken unter Deutschen sich verbreiten, so gelten solche Argumente nicht mehr als die verdrießlichen deutschen Klagen, sondern als berechtigt. Und sie bereiten die Deutschen auf den Augenblick vor, an dem ihnen wohl die Freiheit, aber nicht die Wiedervereinigung gewährt würde.

Zweitens aber: In Illusionen zu leben, ist immer unheilvoll und des Menschen nicht würdig. Was aber unterscheidet die unzerstörbare Hoffnung von der Illusion? Hoffnung hat den rückhaltlosen Sinn für die Realitäten, bindet sich in der Welt an die weltlichen Möglichkeiten, weiß aber von den Grenzen aller realen Erkenntnis. Sie weiß vom Wahrscheinlichen und Unwahrscheinlichen und kann die schlimmste Prognose ertragen mit der Forderung an sich selbst, sie niemals für absolut gewiß zu halten, solange das Ereignis nicht eingetreten ist. Illusion verleugnet die Orientierung am Wahrscheinlichen und Unwahrscheinlichen, klammert sich an das Unwahrscheinliche, versäumt darüber das Mögliche. Der Satz »es ist alles möglich«, wird von der Illusion für das in Anspruch genommen, woraufhin als ein Reales sie leben möchte, von der Hoffnung eingeschränkt zugunsten der Rangordnung des Wahrscheinlichen.

d) Die Wiedervereinigung im Wahlkampf um die Macht: Das Schlagwort der Wiedervereinigung hat einen Grund seiner Unüberwindbarkeit bisher darin, daß kein Politiker, weder in Westdeutschland noch in Ostdeutschland, es sich aus der Hand nehmen lassen will. Der eine sagt Wiedervereinigung in Freiheit und Frieden, der andere Wiedervereinigung in den sozialistischen Errungenschaften (mit dem berühmten Trick, zunächst eine Konföderation Ost- und Westdeutschlands anzubieten). Es liegt überall eine Atmosphäre von Unwahrhaftigkeit um die Forderung der Wiedervereinigung.

In der Bundesrepublik, so scheint es, würde keine Partei heute den Wahlkampf riskieren, ohne sich zur Forderung der Wiedervereinigung zu bekennen. Hier hört das Denken auf. Keine Partei wagt, unter Preisgabe der Wiedervereinigung allein auf Freiheit zu bestehen.

Ist so ein Zirkel zwischen Politikern und Stimmbürgern im Gange, mit dem eine öffentliche Unwahrhaftigkeit aufrechterhalten wird, in der dann, wie es ein kluger Journalist beschrieb, die Tabus entstehen? Kann unter solchen Umständen ein Vorschlag zwar richtig sein, aber zugleich die Unmöglichkeit bestehen, ihn rückhaltlos politisch zu diskutieren? Die Wahrheit des politischen Lebens wäre es, diese Tabus zu durchbrechen. Denn dieses Leben kann sich vernünftig und erfolgreich nur durch Wahrhaftigkeit gestalten.

Vorstellungen kann man ändern, Ideen können erweckt werden. Das ist die Aufgabe der Politiker aller Parteien. Wollen sie an Täuschungen teilnehmen, um Stimmen für sich zu vermehren? Oder wollen sie die Pflicht ihres Berufes erkennen, das öffentliche Denken zur politischen Vernunft zu bringen? Oder denken sie zu einem Teile nicht einmal selber, sondern sind »Funktionäre« oder »Exponenten«, die diese Karriere als einen aussichtsreichen Job betreiben?

VII. ADENAUER

Ich spreche nicht von dem Manne, den ich persönlich nie gesehen habe und dessen Leben ich nicht kenne. Ich spreche allein von dem Faktum seiner Politik. Seine Außenpolitik ist in seinen Handlungen und Worten bezeugt. Seine Innenpolitik ist mir in wesentlichen Dingen unklar geblieben, sie gewinnt kein überzeugendes Gesicht. Ich frage nach den Voraussetzungen, unter denen der Kanzler seine Politik führt, und nach der Idee, die ihr der Natur der Sache entsprechend zugrundeliegt.

1. Die Bedrohung des Abendlandes

In der Mitte steht das eine. Adenauer geht seinen außenpolitischen Weg ständig im Bewußtsein der Weltsituation. Sein Grundgedanke ist einfach und von Anfang an bis heute unerschütterlich: Das Abendland – Europa und Amerika als ein Ganzes – kann sich nur behaupten, wenn es einig ist. Angesichts der tödlichen Gefahr der totalen Herrschaft, die, jetzt schon von einer Milliarde Menschen getragen, die gesamte Welt unterwerfen will, gibt es keine andere Rettung. Die Bundesrepublik Deutschland kann in Freiheit nur gemeinsam mit Europa und Amerika Bestand haben.

Seine Politik ist aus dem einen Prinzip zu begreifen: Das gesamte Abendland muß zusammengebracht werden zu gemeinsamer Abwehr und zur Vorbereitung eines einstigen Weltfriedenszustandes. Von dort her hat er den Blick für die Proportionen. Bei einzelnen Entscheidungen sieht er, worauf in erster Linie es ankommt. Nicht einen Augenblick seit der deutschen Katastrophe hat er sich in dieser Hinsicht düpieren lassen.

Immer wieder wurde er enttäuscht. Die nationalen Ansprüche sind überall immer zu stark. Er bekämpft sie, wo sie den Vorrang vor den Erfordernissen der gemeinsamen Selbstbehauptung beanspruchen. Nie hat er – in diesem Punkt – die Geduld verloren. Nach jedem Mißerfolg hat er neue Wege gesucht zu dem Ziel der Verwirklichung der abendländischen Solidarität.

Wenn Bismarck vom cauchemar des coalitions sprach, so steht Adenauer unter einem viel schlimmeren Alpdruck. Während die meisten dahinleben, weiß er, was auf dem Spiele steht. Wenn die Leute in Deutschland und im Westen schlafen, ist er wach. Wie muß ihm all die Jahre zumute gewesen sein, wenn er die Politiker des Abendlandes beschwor und immer wieder auch enttäuscht wurde! Welchem Pessimismus wird dieser Kanzler nicht »der Alliierten«, sondern des Abendlandes ausgesetzt gewesen sein! Im September 1960 sagte er vor der Kommunalpolitischen Vereinigung der CDU: »Die weltpolitische Lage ist atemberaubend und entsetzlich.«

2. Das Prinzip der Politik Adenauers kann missverstanden werden

Er denkt nicht für irgendeinen möglichen Zeitpunkt an einen »Kreuzzug« gegen den Totalitarismus. Er weiß: in der Weltlage heute wäre ein Präventivkrieg potenziertes Verbrechen. Ihm persönlich scheint das Militärische wenig zu liegen. Nie tritt er selber militärisch in Erscheinung. Er sieht die bittere Notwendigkeit der Aufrüstung und nimmt sie an ohne Begeisterung. Er fördert sie auf Grund politischer Einsicht angesichts eines überwältigend gerüsteten Feinds. Hier wäre alles Halbe verderblich.

Wer die Größe der Gefahr nicht wahrhaben will, beruhigt sich: allzu schlimm werde es schon nicht werden, die menschlichen Dinge würden, wie bisher so weiter ihren aus Unheil und Heil gemischten Gang nehmen. Daher die Skepsis gegen den Ernst der Entscheidung zwischen politischer Freiheit und totaler Herrschaft und der Vorwurf, das Prinzip des Totalitarismus werde dämonisiert. Das sei gefährlich für den Frieden; denn so komme man zu keiner Verständigung, sondern reize, beleidige, bedrohe. Keine Spur! Da ist nichts Dämonisches, so wenig wie in Hitler, sondern etwas klar Erkennbares, wenn man nur die Augen aufmacht. Man darf sich nicht betrügen durch Wunschdenken, das der Bequemlichkeit dient, nicht durch abstrakte Begeisterung für das Heil der Menschheit in einem Kommunismus, nicht mit einer Hoffnung in dieser Richtung sich einschläfern lassen. Adenauer ist von dem allem frei in der einfachen, unbeirrbaren Einsicht.

3. Adenauer Staatsmann des Abendlandes

Adenauer ist gewachsen zum abendländischen Staatsmann. In Amerika, England, Frankreich, Italien genießt er hohes Ansehen. Er ist es, der in jedem Lande die Männer beschwört, ihre nationalen Ansprüche in den zweiten Rang zu schieben. Nur die Ansprüche, die mit dem allgemeinen Interesse koinzidieren, sind zu halten. Das nationale Interesse als Wille zum Überleben ist identisch mit dem einen Interesse des solidarischen Abendlandes. Man glaubt Adenauer. Aber man glaubt noch nicht der Bundesrepublik. Adenauer hat es bisher nicht vermocht, das politische Leben und Denken der Bundesrepublik so zur Entfaltung zu bringen, daß es insgesamt dieses Vertrauen erwerben konnte. Man glaubt auch nicht den anderen Nationen. Adenauer scheint auf dem wahren Wege, wenn auch weit entfernt vom Ziel.

4. Adenauers deutsche Leistung

Adenauer ist es gelungen, nach der totalen Katastrophe die Selbständigkeit eines deutschen Staats, der Bundesrepublik, zurückzugewinnen. Der für dieses Ziel günstige Umstand der offenbar werdenden Feindschaft zwischen den Sowjets und Amerika half ihm und stellte zugleich die große gemeinsame Aufgabe. Er hat die Wirtschaft des neuen Staats, dies den Fachleuten überlassend, zu unerwarteter Entwicklung kommen lassen. Durch ihn ist in der Welt die Stimme vernünftigen politischen Denkens seitens eines Deutschen zur Geltung gekommen. Erstaunlich schnell hat der deutsche Name durch ihn in der Welt ein, wenn auch immer noch begrenztes und leicht wieder zu erschütterndes Vertrauen gewonnen.

5. Der Weg zur Macht

Für alles, was Adenauer gelungen ist, brauchte er die Macht. Um die für die Bundesrepublik und für das gesamte Abendland in dieser Weltsituation an diesem Orte richtige Politik zu verwirklichen, um die Dinge in die Richtung der abendländischen Solidarität zu treiben, um der Bundesrepublik den wirtschaftlichen Aufschwung, eine neue Selbständigkeit zu verschaffen, brauchte er die Macht, für die er auf die Stimmen bei den Wahlen angewiesen ist. Dieser Volkssouverän, der seinen Willen in der Abstimmung kundgibt, nicht ein Kaiser, gab sie ihm.

Daher war er gezwungen zu vielfachen Rücksichten und Konzessionen nicht nur in den Wahlkämpfen, sondern bei der innenpolitischen Regierungsführung. Er mußte schweigen und sprechen je nach dem gegenwärtigen Widerhall bei den Stimmbürgern.

Die Wahlkämpfe und ihre Vorbereitung durch die Art der Regierungsakte sind das große Feld der politischen Selbsterziehung der Bevölkerung. Daß diese nicht stattgefunden hat, ist der dunkle Schatten auf der Zukunft der Bundesrepublik. Wie die Wahlkämpfe geführt wurden, ist bekannt. Adenauer und seine Partei haben es nicht besser gemacht als die anderen. Adenauer ist dabei zwar Sieger, aber kein Vorbild geworden.

6. Konstruktion der Gestalt eines deutschen Staatsmanns heute

Jetzt will ich den Blick auf Realitäten werfen vermöge einer utopischen Konstruktion. Utopien sind in der Philosophie und im politischen Denken das Mittel, um die Bedeutung von Realitäten klarer zu erfassen und die Wege des Aufschwungs fühlbar zu machen.

Es ist wunderlich, in einem lebenden Staatsmann die Idee zu konstruieren, die aus einem Teil seiner Politik zu sprechen scheint, um zu entwerfen, was nach der Natur der Sache in gegenwärtiger Situation ihr entsprechen würde.

Nachdem Adenauer, im Druck der Not, über Außenpolitik und Wirtschaftswiederherstellung die politische Erziehung der Deutschen bisher versäumt hat, nachdem er Unwahrhaftigkeiten schweigend hat dulden müssen, hat er nunmehr die einzigartige Möglichkeit, den Deutschen die Wahrheit zu sagen.

Er allein kann heute seine unerhörte Autorität einsetzen, um wirksam die politische Erziehung der Deutschen einzuleiten. Er hat die Macht, das Außerordentliche zu wagen, allerdings unter dem Risiko für seine Machtposition selber.

Ihm wäre es möglich, auszusprechen, was ist, und dies, bis in alle Konsequenzen, rückhaltlos aufzuzeigen, nicht nur, was er schon getan hat, die große Weltpolitik und die Aufgabe der Bundesrepublik in ihr, sondern die Aufgaben der Bundesrepublik für sie selbst. Er kann die Wege weisen zu einem wahrhaftigen politischen Leben der Freiheit.

Denkt man das, so ist unausweichlich, Fragen zu stellen an die Realitäten Adenauerschen Handelns und Redens, und utopische Möglichkeiten in konkreter Gestalt zu versuchen, — nicht in der Absicht, Vorschläge und Programme darzubieten, sondern um durch solche Aufstellungen einen möglichen Sinn der Situation zur Erscheinung zu bringen.

7. Zweifel an Adenauer

Mir ist im Gespräche geantwortet worden: Weiß denn Adenauer den Weg der politischen Wahrheit in dem von Ihnen gemeinten Umfang? Ist es nicht eine irreale, phantastische Vorstellung, er könne seine und seiner Partei Macht aufs Spiel setzen?

Ich hörte: Sie überschätzen Adenauer. Er ist doch nur der überaus geschickte Operateur, der die für die Bundesrepublik so günstige Lage beim Offenbarwerden des Ost-West-Konflikts von Anfang an begriff und nutzte. Sein einfacher Gedanke ist noch keine Idee. Er ist nicht der große Staatsmann, der sein Volk dadurch erzieht, daß er alle vernünftigen Motive erweckt und zur Wirksamkeit bringt, der die feigen, ängstlichen, niederträchtigen Motive nicht beansprucht, der die Selbsttäuschungen des Volkes bekämpft, der die Interessen in ihre Grenzen weist.

Woran liegt es, daß Adenauer weder den Nebel innenpolitischer Ungewißheiten zerstreuen noch seine Außenpolitik mit allen ihren Konsequenzen der überwältigenden Mehrzahl der Deutschen überzeugend machen kann? Liegt es an den Deutschen oder auch an Adenauer? Tut und sagt er, was die Menschen in dieser Situation unbewußt fordern? Steht er vor dem Volke als Vorbild von Offenheit und Wahrhaftigkeit? Weckt er in den Bürgern die guten Antriebe? Beschwingt er den Ernst öffentlichen Geistes?

Auch ich gehöre zu denen, die große Teile der Innenpolitik Adenauers nicht billigen. Besser: die sie nicht in ihren Grundlinien erkennen, die nach der Verfassung der Kanzler zu bestimmen hat. Ich beklage seine Personalpolitik, seine Bereitschaft, fragwürdige Mittel zur Vermehrung der Stimmenzahl einsetzen zu lassen. Ich beklage es, daß ihm anscheinend der Großmut fehlt, die Oppositionspartei so zu behandeln, daß sie im Kampf mit ihm und seiner Partei wirklich zu einer Oppositionspartei werden kann, die mit ihm auf dem Boden des gemeinsamen Staats sich entwickeln könnte. Ich beklage es, daß er in Grenzfällen die Diffamierung nicht scheut, die die demokratische Solidarität zerstört. Er handelt nicht nach dem Prinzip, daß Menschen besser werden, wenn man Besseres von ihnen erwartet und mit ihnen umgeht, als ob sie schon besser seien. Ich beklage den zeitweiligen Anschein, daß er parteigebunden und insofern nicht Staatsmann sei, daß er die Oppositionspartei vernichten, nicht pflegen möchte, daß er nicht die Notwendigkeit einrechnet, daß auch sie einst zur Regierung kommt.

Vor Jahren sah man in den Zeitungen ein Bild: Adenauer an seinem Geburtstag steht vor dem Gabentisch und hält lächelnd ein Buch hoch, dessen Titel lesbar war: Über die Dummheit. Ich war betroffen. Wohl ist der schlimmste Feind eines vernünftigen Staatsmanns die Dummheit. Mit dem Teufel glaubt er eher fertig zu werden als mit der Dummheit. Aber diese Betonung, dieses Lächeln? Ich schwankte: Zeigte sich in diesem Bilde der furchtbare Ernst der Frage oder Menschenverachtung? ist es Weisheit, die er ironisch kundgibt oder zeigt sich ein Zug von Zynismus? Ich wehrte mich: Kann er denn die vernünftigen, gar nicht dummen Deutschen nicht finden?

Adenauer kann beschwörend sagen (Sept. 1960): »In unserem Volk steckt etwas drin, es will mehr und mehr und mehr haben. Es gibt kein unzufriedeneres Volk. Mir wird es eng ums Herz, wenn ich daran denke, was einmal aus dem deutschen Volk werden soll, wenn das nicht anders wird.« In meinem Gedächtnis ist mir keine Äußerung des Vertrauens zum deutschen Volke aus Adenauers Mund gegenwärtig. Es wird sie gewiß geben.

Kann er nicht hindurchstoßen durch die politischen Manipulationen der Parteien zu den großen Motiven, die in der Seele der Deutschen nur warten, erweckt zu werden? Muß er sich vor allem an die niederen Instinke wenden, an das Sicherheitsbedürfnis und an die materiellen Begehren? Nimmt er das Faktum der aus der Vergangenheit noch fortbestehenden politischen Führungsklüngel für endgültig? Kann er weder seine eigene Partei auf einen substantiellen Grund der Denkungsart stellen, noch zu den großen Wählermassen der SPD durchdringen, unter denen so viele mit ihrer Parteiführung sehr unzufrieden sind (wie die der CDU mit der ihren), weil sie Wahrheit wollen? Hat er es sich selber mit den geschickten Manipulationen geistig und ethisch zu leicht gemacht, gemessen an der staatsmännischen Aufgabe, mit der Politik zugleich das Volk zur Selbsterziehung zu bringen?

Adenauers Äußerungen, die in bezug auf die große Weltfrage der Selbstbehauptung abendländischer Freiheit groß durch Einfachheit und Eindeutigkeit sind, sind es in vielen anderen Beziehungen nicht. Einige Beispiele:

Adenauer kann beklagen: »wie wenig Nationalgefühl das deutsche Volk hat« (wenn er etwas Substantielles begehrt), und er kann sagen: »Mit nationalistischen Gefühlen tun wir uns keinen Gefallen« (wenn er daran denkt, daß Europa und Deutschland nur gemeinsam mit Amerika eine Sicherheit habe). Beides ist vereinbar, wenn unter Nationalgefühl nicht nationalstaatlicher Anspruch verstanden wird. Aber er bringt es nicht zu radikaler Klarheit.

Adenauer ist für die Wiedervereinigung. Aber vor längerer Zeit las man seinen Satz: »Die Wiedervereinigung kommt von selbst.« Sagt er damit nicht, man solle und könne nichts dafür tun, also sei sie praktisch kein aktuelles Thema in der Politik? »Von selbst«, das heißt doch: in einer fernen Zukunft, wenn in der Welt alles ganz anders ist, die Weltlage sich so radikal gewandelt hat, daß die Wiedervereinigung nur eine kaum noch etwas verändernde Angelegenheit von staatlichen Verwaltungsbezirken innerhalb einer großen Weltordnung sein würde. Bis dahin muß das Wiedervereinigungsgesetz für seine große Politik eine Störung sein. Adenauer ist gewiß mit ganzem Herzen beim Schicksal der Deutschen. Aber er sieht für dieses Schicksal selber nur dann eine Chance, wenn die Fragen ihre rechte Rangordnung haben. Doch sagt er das nicht klar und nimmt Rücksicht auf Wünsche und beruhigt etwa (Sept. 1960): mit der Wiedervereinigung müsse man Geduld haben. Frankreich habe auf die Rückkehr Elsaß-Lothringens auch von 1871 bis 1918 gewartet. Welch verwirrendes Argument! Die Rückkehr Elsaß-Lothringens geschah doch durch den Krieg, so wie Polen durch Krieg wiederhergestellt wurde. Aber die Wiedervereinigung soll doch »in Frieden und Freiheit« stattfinden. In der gegenwärtigen, so neuen Weltsituation sind historische Vergleiche allzu oft nicht richtig. Sie wenden sich an die Gedankenlosen, die sich der Lage heute nicht eigentlich bewußt sind.

Oder hat Adenauer am Ende doch nicht den Sinn für die Tiefe des Einschnitts in unsere und der Menschheit Geschichte? Lebt auch er noch aus störenden Motiven der Vergangenheit? Ist ihm wohl die Gefahr der Eroberung durch den Osten, nicht aber der Abgrund sichtbar geworden, vor dem wir innerlich mit unserer Freiheit stehen? Verschleiert sich ihm dieser durch eine Vielfachheit von Gefühlen, denen er entgegenkommt, und vermag er darum auch hier die Wähler zu gewinnen, die den Blick in die gegenwärtige Aufgabe und die Zukunft des Menschseins nicht tun wollen? Hält er seine Macht durch Nachgiebigkeit an all die brüchigen Weisen der sogenannten Restauration, die das Vakuum nicht füllen, sondern verdecken?

8. Antwort auf die Zweifel

Den von anderen ausgesprochenen und den eigenen Zweifeln antworte ich:

Es ist viel, daß Adenauer die Einsicht und Geduld in den außenpolitischen Daseinsfragen zuverlässig eigen sind. Es ist aber für den Bestand der Bundesrepublik in der Tat nicht genug.

Adenauer ist nicht am Ende seiner politischen Laufbahn. Der Doge Dandolo eroberte mit neunzig Jahren Konstantinopel. Adenauer kann das größte Werk seines Lebens, nicht den von ihm gehaßten und gefürchteten Krieg, sondern die Verwandlung seiner deutschen Innenpolitik in Wahrhaftigkeit und Klarheit oder die Einleitung der deutschen Selbsterziehung vollbringen. Niemand kann wissen, was er noch sagen und tun wird. Ich konstruiere für die gegenwärtige Situation den Staatsmann, der auf die Wahrheit hin alles wagt.

9. Die Vollendung der Politik des Kanzlers in der Vorbereitung der Kanzlernachfolge

Was die Deutschen brauchen und begehren, ist Wahrheit. Sie zu wagen führt zur menschlichen und politischen Größe, in deren Anschauung die Deutschen ihre besten Antriebe entfalten würden.

Diese Größe könnte den Deutschen fühlbar werden, wenn Gegner öffentlichen Parteikampfs zugleich verbündet sind, weil sie zuletzt dasselbe wollen. Die Größe wird sichtbar, wenn deutsche Staatsmänner erwachsen, die die bedingungslose Solidarität mit dem Westen durch ihr Wesen selbst darstellen, die niemals den Versuch aufgeben, die Staatsmänner des Westens in der letzten, wahrscheinlich kurzen Atempause zusammenzubringen durch die Überzeugungskraft einer auf Tod und Leben gemeinsamen Sache, aber nur dann, wenn diese gemeinsame Sache in ihnen selber verkörpert ist durch Wahrhaftigkeit, Freiheit, Menschlichkeit, Ernst und Wagemut, so daß wir alle uns in unseren eigentlichen Antrieben wiedererkennen.

Bei dem Range Adenauers kann man nicht annehmen, daß er nicht an seinen Nachfolger denkt. Hat er die Staatsmänner nicht gefunden oder nicht gesucht, die fähig wären, seine Politik fortzusetzen? Cäsars Größe war, die bedeutendsten Männer zu finden, sie an sich zu binden und keine Sorge zu haben, daß sie ihm gefährlich werden könnten. Eine seiner wunderbarsten Akte war die Adoption Oktavians, der Cäsars Werk, in der Realität es wandelnd, vollenden konnte. Es war Bismarcks schlimmste Eigenschaft, nur Kreaturen um sich zu dulden. Ein Staat wird nicht geistig wirklich und macht keine dauerhafte Politik, wenn er an den Zufall eines einzelnen Menschen gekettet und ohne ihn eine Verworrenheit ist. Das Werk eines solchen Staatsmanns – selbst im Falle der Größe Bismarcks, mit dem heute niemand zu vergleichen ist – wird dadurch zunichte.

Wenn Adenauers Werk ist, der Bundesrepublik ihren Ort in der Selbstbehauptung des Abendlandes verschafft zu haben, diesen Staat und die gesamte freie Welt ständig zur Solidarität in der Selbstbehauptung zu drängen, ohne die jeder einzelne der freien Staaten verloren ist, was könnte er tun, um diesem Werk Fortgang und Dauer zu verschaffen?

Wenn angesichts der Weltsituation der deutsche Staatslenker an seinen Nachfolger denkt, so kann er nicht so unverantwortlich sein, dessen Wahl den Zufällen zu überlassen. Auch wird ihm bei solch großer Frage die Partei unwesentlich. Nicht die Partei, sondern die politische Persönlichkeit des kommenden Mannes entscheidet das Geschick.

In der Bundesrepublik stehen die Wahlen des nächsten Jahres bevor. Ich bewege mich in der Tagespolitik, wenn ich die Zusammengehörigkeit von Politik, Wahrheit, Dauer und Größe in bezug auf die Wahl erörtere, aber so, daß in den hypothetisch vorgebrachten Gedankengängen die vielleicht utopische Möglichkeit der Größe Adenauers anschaulich werden soll. Die Vorgänge im Wahlkampf, das Problem der Nachfolge, die Einleitung deutscher politischer Erziehung scheinen mir in einem für die Bundesrepublik vielleicht entscheidenden Augenblick gesehen werden zu müssen.

Wenn im Wahlkampf – mit Recht – ein Mann verlangt wird, den das Volk kennt, so scheint heute in der Bundesrepublik außer dem Kanzler nur Brandt dazusein. Vielleicht gibt es noch andere, mehrere, sogar vorzüglichere Männer, aber sie sind nicht in das Licht der Öffentlichkeit gelangt.

In der Partei Adenauers ist keine politisch vertrauenerweckende, überzeugende Persönlichkeit als solche der Öffentlichkeit sichtbar geworden. Wenn solche Persönlichkeiten da sind, hat Adenauer sie nicht wirksam zur Geltung kommen lassen oder sie nicht gesehen.

Brandt ist als Oberbürgermeister Berlins in Deutschland und der ganzen Welt, vor allem in Amerika und England als vertrauenerweckende Persönlichkeit bekannt geworden. Seine Außenpolitik ist die Adenauers. Er hat sich bisher in politischen Reden und Handlungen bewährt. In seiner eigenen Partei war er unerwünscht. Gegen sie hat er sich durchgesetzt, weil die Partei ihn für die Wahlchancen widerwillig als unentbehrlich erkannte.

Nun aber kommen sogleich die Fragen: Ob Brandt fähig sein wird, in seiner Partei ihr bis vor kurzem bodenloses außenpolitisches Konzept wirklich umzuwerfen – was vielleicht möglich wäre –, oder ob vielmehr die Partei ihn überwinden würde, das ist nicht vorauszusagen und verwehrt eine eindeutige Entscheidung.

Nimmt man an, daß Brandt seine Partei neu prägen, eine junge, unbefangen denkende, vernünftige Generation heraufführen, durch ihre Vergangenheit vertrauensunwürdige Demagogen ausscheiden wird, dann wäre es im Augenblick der Mann, der Adenauers Politik aus eigener Energie, Einsicht und Erfindungsgabe fortsetzen würde. Adenauer, wenn er der Staatsmann des Abendlandes ist, als den man ihn sehen durfte, würde als solcher dies wollen.

Durch eine aus den Wahlen wiederum hervorgehende absolute Mehrheit der CDU wäre der Weg dahin versperrt. Der Weg ist offen, wenn eine Koalitionsregierung notwendig und diese die der CDU und SPD würde. Die Gefahr, daß eine der beiden großen Parteien – in Nachwirkung ihrer verhängnisvollen undemokratischen, weil unsolidarischen Feindschaft – sich verführen ließe, mit einer dritten Partei als dem sogenannten Zünglein an der Waage sich zu verbinden, um den Gegner, der doch fast das halbe Volk vertritt, auszuschalten, belastet weiter die Chancen. Die Zeit für eine wirkliche, wirksame, verantwortliche und respektierte Oppositionspartei ist anscheinend bei unserem politischen Reifezustand noch nicht da.

Adenauer und Brandt als Kanzler und Vizekanzler (und Außenminister) würden zusammen die Kontinuität der großen Politik sichern. Endlos sind die möglichen Erwägungen der Details. Politisch entscheidend ist, ob die außenpolitisch bewährten Persönlichkeiten den Vorrang vor den Parteiinteressen gewinnen, ob Adenauer und Brandt offen oder verborgen zu Bundesgenossen — auch gegen ihre Parteien — werden.

Der Philosoph darf die Maßstäbe denken, als ob wirklich würde, was sie utopisch aufstellen. Er darf den lebendigen Staatsmann konstruieren, als ob dieser wirklich vollzöge, was in der Idee seiner Aufgaben und des Wesentlichen seines bisherigen Tuns liegt. Aber wenn er in bezug auf die aktuellen Namen und Chancen keine Entscheidung finden kann, so kann er doch deren Erörterung als Leitfaden benutzen, um das Prinzip zu verdeutlichen.

Wie großartig, die Politik wirksam begründend, wäre es, wenn im kommenden Wahlkampf der glaubwürdige Appell an das Wahre die Menschen beschwingen würde! Wenn Adenauer und Brandt zwar als Gegner durch Partei, doch Bundesgenossen wären im gemeinsamen großen Ziel! Wenn der Kampf stattfände mit Neigung für den Gegner, weil das Ergebnis des Kampfes die gemeinsame Sache in jedem Fall verwirklichen soll. Adenauer und Brandt in derselben Regierung, das könnte nicht nur die Stabilität der Außenpolitik, die unser Dasein begründen oder vernichten wird, zur Folge haben, sondern ein Reinigen der deutschen Politik überhaupt.

10. Philosophie und Politik

Der Staatsmann muß schweigen können, der Philosoph soll ohne Einschränkung sprechen.

Der Staatsmann kann sein Ziel nicht ohne Kompromisse erreichen, der Philosoph darf sie nicht decken.

In dem sittlich-politischen Organismus der Völker muß auch das Wagnis des uneingeschränkten Aussprechens auf dem Wege zur Wahrheit seinen Ort haben.

Der bloße Politiker kann nicht anders als solches Denken entweder unbeachtlich finden oder als Mittel nach Brauchbarkeit und Unbrauchbarkeit für seine Zwecke beurteilen. Ihm gilt Wahrheit nicht an sich, sondern als die von ihr ausgehende mögliche Wirkung, die seiner Macht vorteilhaft oder nachteilig erscheint. Aber ein Staatsmann denkt anders, auch wenn er in den jeweiligen Situationen schweigt.

Daß die Wahrheit wachse, dafür sorgen faktisch beide, Staatsmann und Philosoph. Aber der eine verlangt auch Solidarität in der politischen Macht, der andere Solidarität nur in der Wahrheit selber. Das scheint unvereinbar, es sei denn, daß ein Staatsmann seine Macht für die Wahrheit einsetzt und dafür seinen Sturz wagt, in jedem Fall für sein Volk Zeichen und Mahnung für immer.

Der Philosoph denkt auch seine politischen Gedanken seinem Wesen nach in der Ruhe. Geht er damit in die Öffentlichkeit, so ist sein Wagnis wie nichts gegen das des Staatsmanns. Der Staatsmann hat es unendlich schwer, wenn er wahr sein will und in der Situation es noch nicht zu können scheint. Wie leicht ist es dagegen, bloß zu reden ohne zu handeln!

Daher gebührt dem wirklichen Staatsmann Respekt, auch wenn man ihm widerspricht, und auch wenn er meint, es sei für seine große Politik im Augenblick notwendig, die Sprache unbequemer Wahrheit zu ignorieren. Aber es bleibt über allen Menschen und über dem Staatsmann der unbedingte Anspruch der Wahrheit. Ihr zu folgen, wird auf die Dauer auch die beste Politik sein, und, wenn alles scheitert, doch die des Menschen würdige Politik.

VIII. DEMOKRATISCHE ERZIEHUNG

Ich spreche nicht von der politischen Erziehung der Jugend, der Vermittlung des staatsbürgerlichen Wissens und des Sinns für Autorität, der Erzeugung von Bildern und Vorstellungen, der Übung in der Praxis gemeinsam zu lösender Aufgaben, der Übung in der Diskussion und ihren geordneten Formen, der Gewöhnung an Denken und an das Durchleuchten der Schlagworte.

Vielmehr möchte ich einen Blick werfen auf die Voraussetzung solcher Erziehung: die ständige Selbsterziehung der erwachsenen Bürger in ihrer demokratischen Verfassung. Sie verwirklicht sich im Kampf bei aktuellen Fragen. Ohne diese ständige Selbsterziehung der Erwachsenen wäre demokratische Erziehung der Jugend nicht möglich. Sie würde erzogen von Leuten, die selbst nicht erzogen sind.

1. Das Gestrüpp der Unklarheiten und dessen Lichtung durch demokratische Staatsmänner

Die, soweit sie nur formal ist, schlechte Demokratie lebt in einem Gestrüpp von Unklarheiten, das genutzt wird zur illegitimen Erwerbung und Behauptung politischer Macht.

Demokratische Staatsmänner lichten dies Gestrüpp. In ihrem Umgang mit der Bevölkerung wirken sie öffentlich, im Umgang mit den sie umgebenden Persönlichkeiten intern dafür, daß die Bürger sich klar werden, was sie wollen und wollen können und was bedingungslos aus der Idee politischer Freiheit gültig ist. In dem Maße wie dieser Umgang Erfolg hat, werden die politischen Sprechweisen wahrhaftig, bleiben nicht konventionelle Redensarten, dulden nicht beliebige, rational immer endlos mögliche Argumentationen, verzichten auf Schlagworte zugunsten jederzeit klar und deutlich zu interpretierender Parolen.

2. Der Eckstein der Demokratie: die Verfassung in den Herzen der Bürger

Das Grundgesetz der Bundesrepublik ist bisher nicht in die Herzen der Bürger der Bundesrepublik eingesenkt. Trotz Schulunterricht konnte diese Einsenkung nicht erfolgen. Der Hauptgrund ist die Weise des Zustandekommens dieses ersten Grundgesetzes.

Als in Heidelberg, ich meine 1947, über die Verfassung des Landes Baden-Württemberg, die kurze Zeit vorher, Seiten füllend, in der Zeitung stand, abgestimmt wurde, fragte ich einen mir länger bekannten klugen jungen Menschen aus dem Volke, wie er stimmen werde. Gar nicht, antwortete er: Ich habe die Verfassung gelesen, aber nicht verstanden; das kann ich nicht beurteilen, daher weder ja noch nein sagen. Wenn nur alle Deutschen diese vernünftige Einsicht hätten, dachte ich, dann stünde es besser. Mir war, als ob ich die lebendige Forderung aus dem Volke hörte, mit Urteilskraft und Urteilsmöglichkeit dabei sein zu wollen. Eine allgemeine Nichtteilnahme an der Abstimmung hätte bedeutet: belehrt uns erst und laßt uns darüber nachdenken! Aber diese Demokraten setzten im Volkssouverän und seiner Meinung Kenntnis und Urteilskraft als selbstverständlich voraus – welche abgründige Unwahrhaftigkeit! Demokratie wächst mit dem Denken des Volkes. Ohne dieses ist sie eine entsetzliche Täuschung. Daß die Entwicklung dieser Urteilskraft möglich ist, ist die Idee der Demokratie. Wer den Glauben an diese Möglichkeit nicht teilt, kann nur entweder redlich verzweifeln und die menschlichen Dinge in den baldigen Untergang treiben sehen, oder als zynischer Manipulierer bis auf weiteres sein Spiel der Macht versuchen.

3. Die demokratische Erziehungsmöglichkeit durch Krisen

Als der parlamentarische Rat das Grundgesetz beschlossen hatte, sollte es zwar der Boden des sittlich-politischen Bewußtseins im Volke werden. Dies Bewußtsein aber war mit der beschlossenen Verfassung keineswegs schon unerschütterlich da. Vielmehr mußte erst in kritischen Situationen wie durch ein plötzliches Licht dem Volke und den Politikern bewußt werden, was eigentlich Verfassung ist. Ihre Unantastbarkeit muß dann gegen Versuche einer Aushöhlung vermöge der Eindringlichkeit der Erfahrung im Volke gegründet werden. Die Forderung der Verfassungsmäßigkeit allen Handelns darf nicht eingeschränkt werden. Aber einzelne Bestimmungen der Verfassung sind verfassungsgemäß korrigierbar, und die Verfassung ist zu ergänzen, wenn Erfahrung lehrt, daß sie nicht genügt. Bei Gehorsam gegenüber der Verfassung öffnet sich doch der Weg zu legaler Verfassungsänderung. Daß solche Ereignisse die Teilnahme des Volkes erwecken bis zur Leidenschaft für diesen Grund seines ganzen Daseins, ist ein Faktor demokratischer Selbsterziehung. Werden solche Augenblicke durch unauffällige Übereinkommen geglättet, nicht aber die eherne Macht der Verfassung offenbar, dann wird die demokratische Erziehung selber versäumt. Ich gebe einige Beispiele so, wie ich sie wahrgenommen zu haben glaube.

a) »Justifizierung der Politik«

Im Laufe der Verhandlungen um die EVG, die dann später durch Mendès-France scheiterte, gab es einen denkwürdigen Augenblick, von dem ich nur aus der Erinnerung berichte. Es war die Frage, ob dieser Vertrag gegen das Grundgesetz verstoße, was die SPD mit wahrscheinlichem Recht behauptete. Der damalige Bundespräsident ersuchte das Karlsruher Bundesverfassungsgericht um ein Gutachten. Dann zog er dieses Ersuchen überraschenderweise zurück und es fiel das Wort: er sei selbstverständlich für die Entpolitisierung der Justiz, aber auch für die Entjustifizierung der Politik. Dies neu erfundene Wort bedeutete unausgesprochen, wenn ich richtig interpretierte, daß die Verfassung als oberste Instanz bei außenpolitisch wesentlichen Dingen nicht eingreifen, oder daß die große Politik sich nicht unter die Justiz beugen dürfe. Hätte das Bundesverfassungsgericht entschieden, daß eine Zweidrittelmehrheit nach der Verfassung notwendig sei, so wäre zwar eine höchst erwünschte außenpolitische Sache, zum Nachteil nicht nur der Bundesrepublik, nicht sogleich zustandegekommen. Die Unantastbarkeit der Verfassung aber steht über der Politik. Grade dadurch wäre auch eine weitere erwünschte Erziehung im politischen Denken notwendig geworden. Die Bevölkerung hätte durch Wahlen zur Zweidrittelmehrheit für diese außenpolitisch gute Sache gebracht werden müssen. Das Volk hätte bezeugen müssen, daß es das außenpolitisch Richtige versteht und anerkennt. Hätte der Volkssouverän anders entschieden, so hätte er die Folgen tragen müssen.

Es ist ein Verderben der Wurzel der Demokratie, wenn die Verfassung verletzt wird. Schon als die Verfassung noch nicht annähernd die Bedeutung hatte wie in der Demokratie, hat Bismarck durch seine verfassungswidrige (d. h. damals ohne Steuerbewilligung durchgeführte) Rüstung ein Verderben in den Ursprung seines Werkes gelegt, das durch Bewilligung der Indemnitätsvorlage nach 1866 nicht ausgelöscht wurde. Es prägte sich tief in das deutsche Bewußtsein ein: Verfassungsbruch, wenn er erfolgreich endet, ist eigentlich erlaubt, ja sogar bewunderungswürdig.

b) Eigenmächtigkeit der Bundeswehr

Die Handhabung der legalen Mechanismen genügt nicht für die Demokratie. Bei Fragen von demokratisch entscheidender Bedeutung muß, wo sie durch ein Ereignis akut werden, unerbittliche Klarheit für die ganze Bevölkerung entstehen.

Die Bundeswehr veröffentlichte 1960 Forderungen unter dem Titel

»Voraussetzungen einer wirksamen Verteidigung«. Dies scheinbar kleine Ereignis ist in der Tat von höchstem Ernst. Das Schriftstück halte ich persönlich in vielen Thesen für überzeugend. Aber erstens beschränkt es sich nicht auf militärische Erfordernisse, sondern nimmt einen politischen Standpunkt in der Auffassung der Weltlage ein. Eine andere, aus Wahlen durch Mehrheit hervorgegangene Regierung könnte die hier gebrauchten Formulierungen nicht überall billigen. Der bedenkliche Charakter der Schrift liegt darin, daß sie nicht bloß Erfordernisse militärischer Verteidigungskraft darlegt, sondern politische Forderungen erhebt. Aber vor allem auch ist die Schrift politisch, weil sie diese Auffassungen aus der Armee eigenmächtig in die Öffentlichkeit bringt.

Ich ignoriere das Gerede über das Zustandekommen der Schrift. Ich halte mich vielmehr an den öffentlichen anerkannten Tatbestand als Beispiel, an dem vielleicht der Mangel an reagierender Aktivität seitens Regierung und Volk in seiner Bedenklichkeit begriffen werden kann.

Daß die Bundeswehr ein solches Schriftstück eigenmächtig in die Öffentlichkeit bringt, ist ein staatsgefährdender Akt, weil die Einheit der politischen Führung dadurch in Frage gestellt wird. Was die Armee sachlich für erforderlich hält, hat sie der vorgesetzten Regierung mitzuteilen, auf dem Dienstwege, geheim.

Die Armee ist ein in Gehorsam abhängiges Instrument der Politik. Dieser Gehorsam hat seine Grenze nur dort, wo diese Politik offenbar auf die Wege des Verbrechens gelangt. Aber in jedem anderen Fall soll die Armee im Vertrauen zur politischen Führung leben, ihr mitteilen, was sie für notwendig hält, um eine maximal wirksame Verteidigung aufzubauen. Sie hat nicht öffentlich zu fordern. Sie darf als Armee nur die gemeinsame politische Staatsgesinnung der Demokratie für politische Freiheit vertreten, nicht einer Partei dienen oder ihrerseits durch Parteien die Politik zugunsten der Erfüllung ihrer Erfordernisse beeinflussen. Das deutsche Volk als Ganzes ist durch die Parteien, nicht durch eine Partei für seine Bundeswehr verantwortlich. Es gibt nur eine deutsche, nicht eine an eine Partei gebundene Armee. Die Armee darf daher die Darlegung des Erfordernisses nuklearer Waffen der Regierung mitteilen, aber nicht öffentlich vertreten, zumal wenn es sich noch nicht um eine allgemein gebilligte Forderung der Deutschen in der Nato handelt.

Jederzeit haben Generäle die Neigung gehabt, die Grenzen ihrer Befugnisse zu überschreiten. Um dieser Neigung von vornherein entgegenzutreten, müßte im ersten klaren Fall ein Exempel statuiert werden. Es müßte allen Offizieren sich einprägen, welche Grenzen sie einzuhalten haben. Eine Demokratie muß sich behaupten gegen die Eigenmächtigkeit von Generälen. Jeder muß wissen, welche Folgen sie für ihn selber hat. Und das gesamte Volk muß es begreifen, wie es seine Verfassung begreifen muß.

Der Akt dieser Veröffentlichung scheint mir eine für die demokratische Idee so schwere Verfehlung, daß sie öffentlich sichtbar werden müßte. Ein Disziplinarverfahren gegen den das Dokument unterzeichnenden Offizier wäre am Platze mit dem Ziel der Dienstentlassung. Denn der unbedingte Gehorsam gegen die politische Führung ist verletzt worden. Das ist für das Ganze des Staats schlimmer als irgendeine Disziplinwidrigkeit innerhalb der Armee. Wenn die gesetzlichen Voraussetzungen für ein solches Verfahren noch nicht da sind, müßten sie geschaffen werden.

Was hier geschah, ist ein nur scheinbar harmloses, wegen des Inhalts der ausgesprochenen Erfordernisse und ihrer für die Majorität der Deutschen geltenden Richtigkeit nicht auffälliges Ereignis. Aber der Form nach beginnt hier das, was schon vor 1914 zu Tirpitz' Zeiten angezettelt wurde, 1914 durch den Einmarsch in Belgien infolge vermeintlich unumgehbarer militärischer Erfordernisse in Abhängigkeit von der Armee politisch geschah, was in Ludendorffs Umspringen mit den Reichskanzlern, seinen Eingriffen in Polen, seiner im Nervenzusammenbruch erfolgten übereilten Forderung nach sofortigem Waffenstillstand sich fortsetzte – die Herrschaft des Militärs über die Politik.

Was geschah nach der Veröffentlichung der Bundeswehr? Man las, daß der Kanzler den Bundesverteidigungsminister aus dem Urlaub zurückberief, nach Aussprache mit ihm den Inhalt des Dokuments billigte, die Form des Vorgehens nicht. Er selbst hat öffentlich nicht gesprochen und es geschah gar nichts. Was etwa intern erörtert wurde, davon weiß man nichts; es ist auch gleichgültig. Denn nur durch öffentliche Akte können öffentliche Verfehlungen ihrer Bedeutung entsprechend geahndet werden, um schlimme Entwicklungen im Ansatz zu erkennen und zu verwehren.

Klanglos ist die Sache der Vergessenheit verfallen. Die Gelegenheit der Einprägung eines staatsnotwendigen Grundsatzes in das Bewußtsein des Volkes und der Bundeswehr war versäumt worden.

Eine Regierung, die in solchen Fragen den Weg der Glättung und der Kompromisse einerseits, gewaltsamer partikularer Entscheidungen andrerseits geht, dagegen die großen einprägsamen, ein Volk politisch bildenden Handlungen meidet, hat dann ihre Mitverantwortung für die Entwicklung der Urteilskraft des Volkssouveräns nicht ernst genommen.

Clemenceaus Wort: »der Krieg sei eine viel zu ernste Sache, als daß man ihn den Generälen überlassen dürfe«, spricht eine unumgängliche demokratische Wahrheit aus. Clemenceau ging in Zivil (nicht in Uniform) an die Front und bändigte eine Meuterei. Entschluß und Kraft und Mut des Staatsmanns aus einem Ethos, das tiefer gründet und weiter blickt als das in seinem Bereich tadellose des Berufsoffiziers, stehen über der Armee.

Bethmann Hollweg, der redliche, intelligente, zuverlässige Beamte, demütigte die Staatsregierung und sich selbst, ohne es zu merken, soweit, daß er 1914 in Uniform in den Reichstag ging, das Symbol dafür, daß die Armee, nicht die staatsmännische Regierung damals von Anfang an die Entscheidungen fällte.

Wenn allerdings nicht Staatsmänner, sondern Beamte, Gewerkschaftsfunktionäre, Journalisten, von Parteien lebende Berufspolitiker regieren, soweit sie in den Banden ihrer Herkunft geblieben sind, dann ist die politische Situation nicht weniger schlimm. Würdelose Leute regieren, die nicht wissen, daß Staatsmänner in der Politik ihr Leben einsetzen. Sie laufen wie 1932 vor ein paar Soldaten unter dem Wort »der Gewalt weichen« davon, setzen nicht einmal die Polizei ein, beschließen am Ende ein »Ermächtigungsgesetz«, weil sie, auch wenn es um das Äußerste, die politische Freiheit selber geht, den Bürgerkrieg nicht wagen.

In der Bundesrepublik darf man glauben, einige Männer zu sehen, die den Mut haben, durch den sie den soldatischen Mut, der ihnen ohnehin eigen ist, übertreffen. Solche Männer halten die Armee in ihren Schranken. Es ist ein freierer, unter unendlich größeren Lasten stehender Mut in den politischen Entschlüssen und ihrer Durchführung. Gönnt das Schicksal der Bundesrepublik nicht solche Männer, dann ist wenig Hoffnung, daß dieser Staat etwas anderes wird, als, in den modernen Formen scheinbarer Autonomie, ein den Söldnertruppen vergangener Zeiten analoges Gebilde im Dienste des Westens oder Osten, oder gar wieder als der Explosionsherd, diesmal nicht mehr nur für die Auslösung eines Weltkrieges, sondern für den Untergang der Menschheit.

Das scheinbar so winzige Ereignis der Eigenmächtigkeit der Bundeswehr führt im Bedenken seiner Bedeutung fast unfehlbar zu solchen Fragestellungen.

c) Verbot der Kommunistischen Partei

Die Kommunistische Partei ist bei uns verboten. Das Karlsruher Bundesverfassungsgericht hat nach dem Grundgesetz diesen Entscheid getroffen. Er ist unantastbar.

Aber er scheint innenpolitisch nicht vorteilhaft. Es wäre besser, die Kommunisten frei, statt unterirdisch sich bewegen zu lassen. Sie sollten der Vernunft des Volkes der Bundesrepublik, der klaren, nicht schimpfenden Sprache der Staatsmänner ausgesetzt sein und in voller Freiheit, wie in der Schweiz, bis auf einen winzigen Rest verschwinden.

Vielleicht ist auch die Folge, daß die SPD die Stimmen der Kommunisten für sich sucht. Daher die Neigung, in der Widersprüchlichkeit der Parteidoktrin auch Thesen (wie etwa in dem jetzt verworfenen Deutschlandplan) aufzustellen, die dort gefallen, und auch die Neigung, bei sich Politiker zur Geltung kommen zu lassen, von denen kommunistisches Denken angesprochen wird, wie andere den bürgerlichen Kreisen genug tun. Die Klarheit der SPD wird gestört. Sie wäre an sich vielleicht eher zu erreichen als die der CDU.

Wer die demagogische Überlegenheit und Bedenkenlosigkeit der kommunistischen Denkungsart (auch bei denen, die sich doktrinal vom Kommunismus losgesagt haben) begriffen hat, kann der SPD so lange kein Vertrauen schenken, als sie solche Männer in sich duldet. Denn in kritischen Augenblicken politisch bedrohlichen Geschehens haben sich diese Leute, weil die bedenkenlosesten, auch als die Sieger erwiesen.

Diese Folgen des Parteiverbots können zur Frage veranlassen, ob das Grundgesetz korrigierbar ist. Diese Frage steht im Komplex der Fragen, wie Freiheit und die Idee der Demokratie innenpolitisch zu schützen sind. Wie kann Freiheit sich behaupten gegen die, die die Freiheit benutzen, um sie zu vernichten? Dazu dient auch das Grundgesetz. Aber kein Rechtsmechanismus ist am Ende ein sicherer Schutz. Freiheit und Demokratie haben nur Bestand, wenn in den Staatsmännern und dem Volke die Motivationen der Freiheit verläßlich gegenwärtig sind. Dahin führt die politische Erziehung durch die Ereignisse, die in den Entschlüssen der Staatsmänner und deren Auslegung sichtbar werden.

4. Das Gift für die Freiheit: die Politik der Gemütlichkeit

Man soll sich nicht täuschen: Der Sinn für das Faktum der Gewalt und ihre Erscheinungen, für ihre Vorboten, und dann die Forderung, in der Politik diese Grundrealität ständig vor Augen zu haben, das ist kein romantischer Drang zum Abenteuerlichen, sondern bittere, widerwillig gewonnene Erkenntnis.

Unter dem Schleier von Reden, Tagungen, Verhandlungen wird das Grundfaktum verborgen. Eine bloße Rationalität meint wirklichkeitsblind durch ausgedachte Vertragsvorschläge der Gewalt Herr zu werden, trotzdem die Voraussetzungen für solche Verträge noch nicht gegeben, sondern erst zu schaffen sind.

Verderblich ist die Neigung, in akuten Situationen den Kern der Sache nicht zu berühren, vielmehr zu glätten mit bloßen Redensarten, und Schweigen zu fordern, damit die »komplizierte« Situation nicht auch noch verschärft werde. Verderblich ist auch das empörte Trotzen und Auftrumpfen und Drohen und Anklagen. Allein die Offenheit, die Dinge ruhig beim Namen zu nennen, mit Fragen und Antworten in sie einzudringen, kann enthüllen, was geschieht und was gewollt wird, und dieses zugunsten gemeinsamer Vernunft, trotz des Sturms entfesselter Wildheit, vielleicht ändern.

In einem die Öffentlichkeit erregenden Konflikt gab mir 1924 ein kluger und gutwilliger Jurist den Rat: dilatorisch behandeln, die Unruhe sich austoben zu lassen, bis der Fall der Öffentlichkeit langweilig wird, dann kann man tun, was man für richtig hält. Ein schlimmer Rat!

Die Verbindung von höflich vermittelnden Verhandlungen, liebenswürdigem Humor, Befriedigung von Eitelkeiten, Herstellung von Stimmung, Erfindung einigender, aber nichtssagender Phrasen, geschickten Manipulationen, kurz: die Politik der Gemütlichkeit und Schläue ist das tödliche Gift für die Idee der Demokratie zugunsten der Handhabung der formalen Demokratie.

Auf diesem Wege graben sich Demokratie und Freiheit ihr Grab wie vor 1933. Diese Erkrankung der Freiheit ist aber nicht Naturprozeß oder Geschichtsprozeß, sondern Schuld eines jeden. Nicht die Hitlers haben Schuld, die als Bakterien auf diesem Krankheitsboden gedeihen, wenn Staatsmänner nicht mehr da sind und Politiker am Ende jene tragikomischen Szenen spielen, in denen sie zeigen, daß sie nicht wissen, daß es in der Politik um Kopf und Kragen geht. Gute Leute, aber schlechte Musikanten!

Die Bundesrepublik, so hoffen wir, wird andere Kräfte in sich entwickeln. Adenauer ist kein Mann, der davonläuft. Er weiß und vergißt keinen Augenblick, was auf dem Spiele steht, auch wenn er in dem Gewirr schlecht-demokratischer Spinnfäden sich oft genug mag fangen lassen. Und andere Männer scheinen sichtbar zu werden.

Wir haben die Atempause unter dem Schutz Amerikas, in der uns die Chance zur demokratischen Selbsterziehung gegeben ist, durch die allein wir ein Glied der gemeinschaftlichen Selbstbehauptung werden. Wirtschaftsblüte und Armee allein genügen durchaus nicht.

Erst durch den Blick auf die Gewalt erwächst der ganze Ernst der Politik. Sie geht an den äußersten Grenzen des Daseins, am Rande des Abgrunds, aus dem die Zerstörungsmächte heraufsteigen.

Die Verfassung ist das einzige gemeinschaftliche Bollwerk am Abgrund. Jugend und Bürger müssen mit dem die Verfassung erzeugenden Ernst vertraut werden. Dann sehen sie die Härte der Realität, durch die die Verfassung gefordert ist, die Strenge des gültigen Gesetzes, die Verfassung als Eckstein, ohne den staatliches Leben und damit menschliche Möglichkeiten zusammenbrechen. Daher muß die Verfassung die unzweideutigen großen Grundsätze haben, die nicht als Redensarten empfunden werden.

Keine betrügenden Emotionen dürfen an die Verfassung geknüpft werden, als ob das Grundgesetz, wie wir es haben, schon wirklich Verfassung wäre und es nicht erst werden müßte. Vor Jahren hörte ich von einer deutschen Schule, an der auf ministerielle Anordnung eine Verfassungsfeier stattfand. Etwas Ungekanntes, Unglaubwürdiges, Unbegriffenes, in den Herzen nicht Existentes, dazu jeder wirksamen Symbolkraft Bares wurde den Kindern zur Feier vorgesetzt. Das heißt das Ethos der Kinder in der Knospe zu verderben.

5. Distanz zum Staat

Man hat den Deutschen, vor allem den Geistigen, stets vorgeworfen, daß sie sich nicht um Politik kümmern, keine Verantwortung für den Staat fühlen. Der Vorwurf gegen dieses Erbstück aus den Jahrhunderten des Obrigkeitsstaates ist berechtigt.

Etwas ganz anderes aber ist die Distanz zum Staat, welche zugleich mit der politischen Selbsterziehung einsetzt. Ein jeder lebt in dem ihm eigenen deutschen Selbstbewußtsein. Dieses bleibt dem einzelnen auch noch in politischer totaler Katastrophe, so 1933. Verloren sind wir nur, wenn wir dies vorpolitische Bewußtsein einer geschichtlichen Geborgenheit in unseren Wurzeln preisgeben. Wir sind aber ebenso verloren, wenn wir unser deutsches Bewußtsein bedingungslos an einen bestimmten Staat binden. Wenn der Staat sich vom Deutschen lossagt wie 1933, dann entscheidet sich, was eigentlich deutsch ist. Als damals ein bekannter deutscher Professor mit seiner Frau, einer Ausländerin, einen Aufmarsch der SA sah, an dem auch hier und da ein Professor teilnahm, und als sie fragte: »Was ist denn Deutschland, dies oder Goethe?« antwortete er grimmig: »Dies, dies!« Ich glaube, daß er im Zorn des Augenblickes irrte.

Wollen wir, verbunden der Substanz unserer Herkunft, in der Weite unserer Möglichkeiten bleiben, dann kann sich im Staat allein unser Selbstbewußtsein nicht erfüllen. Es gehört zu unserem Schicksal, daß wir in innerer Distanz zu unseren jeweiligen Staatsbildungen bleiben.

Das gilt auch von der Demokratie, die plötzlich, als ein Grundgesetz fix und fertig, durch die Umstände, nicht durch die Kraft eines um Freiheit kämpfenden Volkes als Krönung dieses Kampfes, eingeführt wird. Ihr fehlt trotz großer Leistungen dieses Staats noch Bewährung und Dauer. Erst in dem Maße, wie sie durch Mitdenken und Mithandeln der Bürger, in der Solidarität durch politische Erziehung wirklich wird, können Bürger und Staat sich inniger verbinden.

In besonderen Fällen wie der Schweiz und Holland hat es eine Dauer gegeben. Hier kann die Identifizierung des eigenen Wesens mit dem Staat am weitesten gehen. Dann aber entfaltet sich dort in der Einheit mit dem eigenen Staatswesen gerade die weiteste europäische Gesinnung. Sie ist die Form der Distanzierung jedes freien Menschen vom Staatlichen überhaupt, dem der Bürger als der alles bedingenden Daseinsgrundlage mit Eifer dient, ohne sich daran zu verlieren. In der politischen Neutralität wird auf die mögliche Großheit der Tat im weltgeschichtlichen Schicksal verzichtet, aber um so mehr die Kraft entwickelt, im eigenen staatlichen Inneren die friedliche Politik zu finden, die in der Weltpolitik nicht als Machtfaktor, sondern als Leitbild zur Geltung kommen könnte.

Die Paradoxie: ganz dabei und doch distanziert zu sein, ist vielleicht die Bedingung großgearteter Politik überhaupt.

Die Distanz erlaubt es nicht, sich zu entziehen. Aber in der Selbstidentifizierung mit dem Staat hört die Distanz auf und wird die Politik eng.

Die Unruhe in der Leidenschaft für die gemeinsame Freiheit im Staat ist politisch bauend nur in Verbindung mit der Ruhe der inneren Überlegenheit.

Was in dieser Ruhe die Freiheit ist, kann nur im philosophischen Denken fühlbar gemacht werden. Sie ist etwas ganz anderes als die politische Freiheit, etwas, das der Mensch als Mensch nicht zu verlieren braucht, auch nicht im totalitären Regime und nicht im Konzentrationslager, obgleich sie für unseren Blick sich entzieht, als ob sie nicht mehr da sei. Sie ist niemals objektiv feststellbar, ist etwas, das noch in körperlichen Zerstörungsprozessen und in Geisteskrankheiten wie ein Funke ungreifbar aufleuchten kann, obgleich sie verschwunden zu sein scheint.

Diese Freiheit selber aber wendet sich im Menschen der Realität im Dasein zu. Er sucht hier die zeitlichen Bedingungen für ihre zeitliche Erscheinung nach seinen Kräften zu fördern. Daher ist sie der tiefste Ursprung des Willens zur realen, aufzeigbaren politischen Freiheit.

Interview, aufgenommen März 1960, gesendet 10. August 1960

Nord- und Westdeutscher Rundfunkverband Fernsehen

THILO KOCH: Sie haben sich zweimal, Herr Professor, zu deutschen Krisensituationen, zu Krisensituationen in der Welt sehr präzise geäußert: einmal 1931, zwei Jahre vor der Machtergreifung Hitlers, mit dem Buch »Die geistige Situation der Zeit«, und vor kurzem, 1958, mit dem Buch »Die Atombombe und die Zukunft des Menschen«.

Es steht ja nicht unbedingt in der Tradition eines deutschen Philosophieprofessors, solche Kommentare zur aktuellen Lage, wenn auch auf philosophischer Basis, zu geben?

JASPERS: Vielleicht ist es doch in der Tradition! Kant ist ein großes Beispiel, Hegel ein anderes, Nietzsche, – alle Philosophen im Grunde, von der Antike an, die aufs Ganze gingen, haben sich politisch geäußert. Aber das ist ja nur ein Vorbild.

Daß ich es getan habe, darf sich damit nicht vergleichen. Es liegt daran, daß ich von Jugend auf die Philosophie auffaßte nicht als eine Beschäftigung mit schönen Büchern, nicht als eine Beschäftigung abseits von der Welt, sondern als etwas, was mich lehrte und stärkte in der Auffassung der gegenwärtigen Wirklichkeit meiner Welt und meiner selbst. Darum war von Anfang an das erste: Erfahrung, das Leben. Und das zweite: der Umgang mit den großen Philosophen, um darin sich zurechtzufinden.

THILO KOCH: Also, Herr Professor, der Philosoph sitzt nach Ihrer Vorstellung vom Philosophen nicht auf dem Olymp der Weisheit, er sitzt auch nicht in der Tonne des Diogenes, sondern er steht mitten im Getümmel der Torheiten und der Bestrebungen dieser Menschheit im Augenblick?

JASPERS: Man könnte so sagen.

Nur würde ich sofort erklären, daß alle jene anderen Standpunkte – noch mehrere, als Sie angedeutet haben – ihren Sinn hatten und daß dort große Philosophen standen.

Nur für die Gegenwart oder für mich selber schien es mir selbstverständlich, daß es heute so liegt, daß die Aristokratie vorbei ist und daß, wer nachdenkt und etwas will, gleichsam auf die Straße gehen muß und daß Philosophie letzthin sich bewähren muß, ob sie die Formeln findet und die Impulse erzeugt, die sich in der Bevölkerung verbreiten können.

THILO KOCH: Ist das deshalb so, Herr Professor, weil wir zum erstenmal oder nicht zum erstenmal in der Geschichte mit dem Totalitarismus zu tun haben?

JASPERS: Der Totalitarismus scheint mir nur *eine* Folge zu sein. Es liegt im Grunde am technischen Zeitalter, nämlich daran, daß alle Menschen lesen und schreiben können, daran, daß heute die Demokratie maßgebend ist, daß heute alles geht über die Bevölkerung und nicht durch das Spiel einer kleinen Elite, die die Welt in der Hand hat.

THILO KOCH: Das würde heißen: die Rolle der Vernunft, die dem Philosophen besonders anvertraut ist, ist wichtiger geworden, und deshalb steht er so drin in den Sachen.

JASPERS: ... ist wichtiger geworden, und zwar so wichtig, daß es in die Bevölkerung eindringen muß und nicht genügt, beschränkt zu sein auf abseitige oder auf herrschende kleine Kreise.

THILO KOCH: Wo kann man philosophieren, Herr Professor? Überall, in allen Situationen?

JASPERS: Das Unheimliche der Philosophie ist, daß sie ja selber nicht definierbar ist. Man kann sie nur äußerlich definieren. Es ist die Welt von Gedankenschöpfungen und Denkungsarten großer Männer der Jahrtausende. Und in dieser Welt ein bißchen zu Hause zu sein, das bewirkt die innere Verfassung, aus der dann erst die Urteilskraft im Konkreten sich entwickelt.

Ich hatte deswegen von vornherein in meiner Jugend das Bedürfnis, anzuknüpfen an Realitäten, wurde Mediziner, war Psychiater, und erst seit 1914 wurde mir auch das Politische wesentlich.

Ich hielt mich nicht daran, daß ein Philosophieprofessor sagte, »Philosophie ist das allgemeine Gerede über das Ganze« – und ich ließ mich nicht anfechten von der Verachtung, daß man nur ein Alleswisser, das heißt Nichtskönner sei. Sondern ich sagte mir: es muß in der Welt immer das Denken geben, das Menschen mit Menschen im Innersten verbindet über alle Spezialitäten hinaus, – und die Philosophie ist der Ort, wo das geschehen kann!

THILO KOCH: Braucht man, Herr Professor, äußere Freiheit zum Philosophieren?

JASPERS: Was in der Einsamkeit geschieht unter schwersten Diktaturen und sogar in der totalitären Welt, kann man nicht wissen, da Philosophie immer Sache des einzelnen, aber mit dem anderen einzelnen ist. Nietzsche sagt, die Wahrheit beginne zu zweien. Auch im Totalitären können zwei sich finden. Nur weiß man davon nicht.

In der totalitären Welt ist Philosophie öffentlich nicht möglich – und darum die Chance für den einzelnen, in die philosophische Welt hineinzuwachsen, ungemein gering, wenn nicht gleich Null. Insofern ist die Philosophie praktisch öffentlich gebunden an die freie Welt.

THILO KOCH: Wir sind im Inneren dabei schon bei der deutschen Frage, Herr Professor, und Sie haben sich zur deutschen Frage zweimal sehr genau geäußert: einmal beim Friedenspreis des deutschen Buchhandels in Frankfurt und auch in dem schon erwähnten Buch über die Atombombe.

JASPERS: Nur beiläufig habe ich davon gesprochen. Eine einzige Schrift existiert von mir, die sich ausdrücklich nur mit der deutschen Frage beschäftigt, nämlich eine Schrift über die Schuldfrage, die ich im Jahre 1945 schrieb. Begreiflicherweise haben Sie diese Schrift nicht genannt, denn sie ist so gut wie unbekannt geblieben. Es ist meine Schrift, die am allerwenigsten Leser gefunden hat; im vorigen Jahr wurde das letzte Exemplar ausverkauft.

THILO KOCH: Glauben Sie, daß das bestimmte Ursachen hat?

JASPERS: Es ist mir sehr begreiflich, daß damals, in der großen Not, die meisten Deutschen einfach keine Neigung hatten, sich zu besinnen, weil sie sich des Hungers erwehren mußten und das Minimum eines wirtschaftlichen Aufbaus suchten. Immerhin, einige haben es gelesen, und ich bekam Briefe, zum Teil enthusiastische Briefe, in denen es hieß, wie sehr man mir zustimme. Mancher Brief schloß: »Aber ich bin hier am Ort der einzige, der so denkt.« Und andere Briefe bezichtigten mich des Landesverrats.

THILO KOCH: Was haben Sie für Antworten auf die Schuldfrage gegeben, Herr Professor?

JASPERS: Die Schrift ist eine planmäßige Untersuchung über Begriffe. Welche Begriffe von Schuld kann es geben? Und ich habe mit Bewußtsein unterschieden, – moralische Schuld, Verbrechen von politischer Haftung. Moralische Schuld und Verbrechen sind wenigen Deutschen, Verbrechen sehr wenigen, auch in der Nazizeit, zuzuerkennen.

Aber die politische Haftung ist etwas anderes! Von der habe ich behauptet, daß, wer in einem Staate lebt und nicht ausgewandert ist, wodurch er sich lossagte von dem Staate, daß ein solcher, wenn er nicht in diesem Staate für die Abwehr des Verbrechens sein Leben gewagt hat, politisch haftet und die Folgerungen der Ereignisse mit tragen muß. Man hat törichterweise behauptet, ich hätte die Kollektivschuld angenommen. Das Gegenteil ist der Fall! Ich habe ausdrücklich ausgeführt, die gebe es nicht. Aber das Gerücht ist geblieben, ich hätte die Kollektivschuld behauptet, und die Schrift ist versunken.

THILO KOCH: Die Fragen sind nach wie vor aktuell, gerade in letzter Zeit wieder sehr aktuell geworden, Herr Professor, und was ist Ihre Meinung heute: jetzt einen Strich darunter oder nicht?

JASPERS: Man redet heute ja von der sogenannten Bewältigung der Vergangenheit. Dieses Wort schätze ich gar nicht; denn es handelt sich nicht um etwas, was bewältigt wird, ausgeräumt und dann erledigt wird, sondern es handelt sich heute darum, genau wie 1945, daß die Deutschen, daß wir alle mit voller Klarheit wissen, was geschehen ist und daß wir aus diesem Wissen die Konsequenzen ziehen.

THILO KOCH: Und was wären das für Konsequenzen?

JASPERS: Die Konsequenzen sind einmal die Würde, die darin liegt, das Geschehene und Getane anzuerkennen und nicht ihm auszuweichen, und die Konsequenzen sind im besonderen eine Revision vielleicht fast aller unserer geläufigen Auffassungen unserer Geschichte und dessen, worauf wir uns zu gründen haben.

THILO KOCH: Darf ich Sie bitten, Herr Professor, wenn es Ihnen möglich ist, etwas ganz Präzises, vielleicht ein Beispiel dazu zu sagen?

JASPERS: Wenn ich ein Beispiel herausgreife, was aber nur ein Beispiel ist, – es ist immer riskant, denn jedes Beispiel ist sofort ein konkreter Kampf. Nehmen wir also als Beispiel die sogenannte Wiedervereinigung.

Ich bin seit Jahren der Auffassung, daß die Forderung der Wiedervereinigung nicht nur irreal ist, sondern politisch und philosophisch in der Selbstbesinnung irreal. Denn, die Wiedervereinigung beruht – der Gedanke der Wiedervereinigung beruht darauf, daß man den Bismarckstaat für den Maßstab nimmt. Der Bismarckstaat soll wiederhergestellt werden. Der Bismarckstaat ist durch die Ereignisse unwiderruflich Vergangenheit, und ich habe das Bewußtsein, daß die Forderung der Wiedervereinigung daher kommt, daß, wie ein Gespenst der Vergangenheit, etwas Unwirkliches an uns herantritt. Die Wiedervereinigung ist sozusagen die Folge dessen, daß ich das, was geschehen ist, nicht anerkennen will. Sondern, daß man etwas wie eine Rechtsforderung auf etwas gründet, das durch Handlungen verschwunden ist, die dieses ungeheure Weltschicksal heraufbeschworen haben und die Schuld des deutschen Staates sind. Diese Handlungen aber will man nicht anerkennen, sondern gründet ein Recht auf das, was nicht mehr existiert.

THILO KOCH: Herr Professor! Ich möchte Sie nicht mißverstehen. Meinen Sie damit, daß wir auf die Forderung nach nationaler Einheit verzichten müssen, weil wir anerkennen sollen, daß der Krieg Deutschland in der damals bestehenden Form vernichtet hat und daß das nicht wiederherstellbar wäre?

JASPERS: Ich bin in der Tat der Meinung. Und ich finde gar nicht, daß ein Sinn heute darin besteht, was im 19. Jahrhundert Sinn hatte und einmal eine große Chance bedeutete, die verspielt worden ist durch das Hitler-Reich. Nachdem das vorbei ist, hat es keinen Sinn mehr, deutsche Einheit zu propagieren, sondern es hat nur einen Sinn, daß man für unsere Landsleute wünscht, sie sollen frei sein!

THILO KOCH: Das wollte ich eben sagen, denn das würde, was Sie bisher gesagt haben, ohne das, was nun folgen muß, bedeuten, daß wir diese 17 Millionen ihrem Schicksal überlassen.

JASPERS: Unmöglich! Wir müssen sie mehr noch als die Ungarn und all die anderen, die uns auch wesentlich sind, unsere Landsleute natürlich, so ansehen: Das sind wir selber! Es ist ein schuldloses Geschick, daß sie im Osten sind und vergewaltigt werden und wir im Westen durch Gnade der Sieger die Freiheit haben, – nicht etwa durch uns. Daß sie im Osten unterdrückt werden, bedeutet für uns, daß wir unablässig in der Öffentlichkeit fordern müßten die freien Wahlen, nur in diesem Bereich eines selbständigen Staates, unter neutraler Kontrolle, bei denen dann festgestellt wird, was man im Osten will, wobei ein entmilitarisierter*) Staat nach dem Beispiel Österreichs etwa durchaus möglich wäre. Wie das im einzelnen wird, ist gleichgültig. Nur die Freiheit – allein darauf kommt es an. Wiedervereinigung ist demgegenüber gleichgültig.

THILO KOCH: Herr Professor, Sie werden – wir sind schon mitten in dieser Frage – von den Kommunisten seit Jahrzehnten angegriffen, und man nennt Sie neuerdings den »NATO-Philosophen«. Wie stehen Sie zum Kommunismus und seinen philosophischen Argumenten?

JASPERS: Ich muß unterscheiden. Die Kritik, die man an mir übt, von Ostdeutschland her und von anderswo her durch die Beschimpfung, ist uninteressant, weil meine Philosophie gar nicht der Gegenstand ist, sondern es handelt sich hier um den Schematismus der Subsumtion all der westlichen Philosophen unter das eine Schlagwort und die immer erneuten gleichen Kategorien.

---

*) Das ist für Österreich nicht richtig. Österreich ist ein neutralisierter, aber nicht entmilitarisierter, wenn auch militärisch irrelevanter Staat.

THILO KOCH: Sie sind »der Ideologe des Klassenfeindes« und Sie sind ein »Ausdruck der bürgerlichen Dekadenz«.

JASPERS: Ja, ganz richtig! Ich habe noch niemals aus dem Osten eine Kritik meiner Philosophie gelesen, die auf einer Kenntnis meiner Werke beruhte, sondern immer nur die Klischees, die auf alle Philosophien des Westens, von dort her gesehen, passen.

THILO KOCH: Soll ich daraus schließen, Herr Professor, daß Sie Ihrerseits das Gespräch, die philosophische Auseinandersetzung, die politische, mit den Marxisten, den Kommunisten für sinnlos halten? Und wenn – widerspräche das nicht Ihrer Idee der Kommunikation?

JASPERS: Ich bin durchaus der Meinung: Es ist nicht sinnlos, aber es ist die Auseinandersetzung mit dem Marxismus nur ein Moment im ganzen des Miteinanderredens. Mit den Kommunisten, den Russen, den Totalitären zu sprechen, das ist die große Aufgabe.

Sie sehen: In den jetzigen Verhandlungen kommt Marxismus gar nicht vor. Ganz selten wird einmal und immer dasselbe wiederholt: Am Ende werden die Kommunisten die ganze Welt haben. Aber marxistisches Denken ist nicht da. Dagegen ist die große Aufgabe immer unter Menschen: Wie kann man miteinander reden und sich irgendwo verständigen!

THILO KOCH: Was sagt Ihre Philosophie nun zu diesem neuen Stil der Politik, der mit Chruschtschow gekommen ist?

JASPERS: Meine Philosophie sagt nichts, sondern auf Grund des Philosophierens im Blick auf diese Dinge würde ich sagen: Es ist in der Tat ein neuer Stil gegenüber dem Stil Stalins. Aber dieser neue Stil ist durchaus nicht eindeutig, was er bedeutet.

Dazu muß man sich fragen: ist das eine Sache, die von dem Westen und dem Osten in gleicher Absicht gehandhabt wird? Auf der westlichen Seite – bei den Angelsachsen – der offenbar gute Wille, der schon befriedigt ist, wenn man überhaupt miteinander redet. Im Osten – wir wissen nicht – Zögern, Verschleiern, Hinausschieben, einen Keil treiben in den Westen, Propaganda machen und was man sonst so sagt. Wir wissen nicht die Absicht, wir wissen nur eines mit Bestimmtheit: Bisher ist bei diesen Gesprächen nichts herausgekommen, und die Tatsachen, die Handlungen der Russen widersprechen bis jetzt, bis zum heutigen Tage dem, was in dieser Entspannung gewollt wird.

THILO KOCH: Wie ist es mit dem Widerspruch – vorläufig ist es noch einer für mich –, daß Sie sagen: es ist nichts beim Reden herausgekommen, aber man soll reden zwischen Ost und West, zwischen den Machtblöcken?

JASPERS: Mir scheint, daß bei jeder absoluten Behauptung zwischen Menschen, bei denen es um alles geht, um das Dasein – man immer zögern muß. Man weiß nie. Und wenn bisher nichts herausgekommen ist, so ist doch das Miteinanderreden die einzige Chance. Alles kommt darauf an, dieses Miteinanderreden so zu gestalten, daß eine geistige Arbeit, daß es überzeugungskräftig wird. Und im Unterschied von der früheren Diplomatie, die nach Spielregeln sich betrog, aber eben in den Spielregeln den Boden hatte, ist die moderne totalitäre Diplomatie ein dauerndes Brüskieren, Schimpfen, unberechenbares Benehmen, Vertragsbrüche und so fort. Und nun handelt es sich darum, daß man wenigstens die Idee entwirft: Wie kann man miteinander reden?

THILO KOCH: Man betrügt sich heute ohne Spielregeln, und Sie meinen, man müsse wieder Spielregeln finden, nicht, um sich zu betrügen ...

JASPERS: Keineswegs! Nein, das halte ich für hoffnungslos. Die Rückkehr zum Vergangenen ist unmöglich. Jetzt handelt es sich darum, daß man den Grundsatz zu einem gemeinsamen macht, der ja sofort anerkannt wird: Wir wollen beide Wahrheit! Auf dem Boden der Wahrheit treffen wir uns. Wir wollen darum so miteinander sprechen, daß alle Unwahrhaftigkeit und Lüge sich enthüllt. Darum müssen wir für dieses Sprechen die geistige Kraft haben, die selbstverständlich Regeln kennt.

Miteinander reden, mit den Russen, würde ich niemals aufgeben. Die Tür zuschlagen, ist ein Akt der Gewalt, wie im Alltag unter Menschen. Den Akt der Gewalt soll man meiden, und wenn noch so viel dagegenspricht und alles so aussieht, als komme doch nichts dabei heraus – man muß versuchen!

THILO KOCH: Herr Professor, mir ist eins im Ohr geblieben — ich fragte Sie vorhin: »Was sagt Ihre Philosophie dazu?« Und Sie haben geantwortet: »Meine Philosophie sagt gar nichts.« Und dann haben Sie doch lange Ausführungen gemacht — doch aber auf der Basis Ihrer Philosophie. Ich glaube, hier habe ich das Mißverständnis mir zuschulden kommen lassen, das Ihnen sicherlich oft begegnet, nämlich, daß man an Sie als Philosophen die Frage richtet: »Was tue ich in einer bestimmten Situation? Gib mir eine Antwort, die ich gebrauchen kann! Gib mir ein Rezept!«

Sie aber wollen wahrscheinlich nur eine Perspektive, Sie wollen Denkungsart, und aus dieser Denkungsart heraus, die Sie erziehen möchten, soll dann die jeweilige Antwort aus dem einzelnen Menschen zur Einzelsituation kommen.

JASPERS: Ja, so etwa könnte man sagen. Ich will gerade nicht auf dem Olymp der Weisheit stehen. Ich will gar nicht anerkennen, daß es eine Philosophie gibt, aus der man deduzieren könne, was richtig sei. Philosophieren ist das, was in jedem Menschen geschieht. Der Philosoph von Beruf kann das nur zu größerer Klarheit bringen. Das, was in jedem Menschen geschieht als Philosophieren, ist eben nicht das, woraus sich durch Schlüsse ergibt: das ist jetzt richtig, sondern woraus sich die innere Verfassung ergibt, die die Urteilskraft und die Realität besitzt, um im konkreten Augenblick in dieser Situation das Rechte zu sehen. Philosophie leitet nicht ab, sondern Philosophie verändert den Menschen!

*

Weil auf dieses Interview hin der Lärm entstand, drucke ich es ab. Von den sechs Seiten bezieht sich nur etwas mehr als eine Seite auf das Thema »Wiedervereinigung«. Das Gespräch war zwar thematisch vorbereitet (in einem viel weiteren Umfang als nachher zur Sprache kommen konnte), aber es war doch ein freies Gespräch. Daher haben die Sätze, formuliert im Augenblick, ihren Sinn als gesprochene mit dem Tonfall und den Pausen, nicht einen Sinn als gedruckte. Es sind zum Teil saloppe Sätze. Solche Äußerung wie ein durchgeformtes Manifest zu behandeln, ist durchaus unangemessen.

Der von mir über die Wiedervereinigung ausgesprochene Gedanke war gar nicht neu. Zahlreiche übereinstimmende öffentliche Äußerungen wurden mir bekannt (zuletzt die Äußerungen auf dem Kongreß für kulturelle Freiheit im Sommer 1960, nach dem Bericht von Künzli in der Basler National-Zeitung: Bondy, Harpprecht, Litt). Ich selber habe das gleiche schon in meinem Buche über die Atombombe 1958 gesagt und einige Jahre vorher für den Beauftragten eines Senders auf ein Tonband gesprochen, das dann nie gesendet wurde.

Bald nach den ersten Reaktionen schrieb ich in der FAZ: »Nur als Beispiel für politische Selbstbesinnung wählte ich das Problem Wiedervereinigung, die, gemessen an dem Gut der Freiheit, gleichgültig sei. Nicht das Interview im ganzen, sondern nur die auf dieses Problem sich beziehenden Sätze haben Beachtung erfahren. In Bonn haben Vertreter der beiden großen Parteien und auch der FDP in voller Einmütigkeit meine Sätze verworfen: Aus Bonn berichtete der Korrespondent F. für die Basler Nationalzeitung: ›Karl Jaspers hat mit einem Fernsehinterview den empörten Widerspruch von Parteien, politischen Organisationen und Tageszeitungen der Bundesrepublik ausgelöst. Noch nicht einmal Chruschtschow war es vergönnt, eine derartige Demonstration der Einigkeit auszulösen.‹

Betroffen von dem unerwartet über mich hereingebrochenen Sturm, frage ich mich: wie ist es möglich, daß das Selbstverständliche solche Empörung auslösen kann? Ich hatte doch immer geglaubt, daß unser Bundeskanzler in diesem wesentlichen Punkt dieselbe Auffassung hätte, nämlich, daß die Freiheit an Rang vor der Wiedervereinigung stehe. Ich suchte und fand Äußerungen des Bundeskanzlers und des Bundesverteidigungsministers aus dem Jahre 1958.

Der Bundeskanzler über die Wiedervereinigung: ›Mir liegt am Herzen, daß wir endlich dazu kommen, daß die 17 Millionen Deutschen hinter dem Eisernen Vorhang so leben können, wie sie wollen. Darum denke ich, wir sollten diese ganze Frage nicht nur unter nationalen oder nationalistischen Aspekten oder den Aspekten des Machtbereiches, sondern unter dem Gesichtspunkt betrachten, daß dort 17 Millionen Deutsche zu einer Lebens- und Denkweise gezwungen werden, die sie nicht wollen.‹

Der Bundesverteidigungsminister Strauß: ›Ist es denn wirklich die Wiedervereinigung, die uns in erster Linie drängt, quält, bedrückt, treibt? Es ist doch weniger die Wiedervereinigung im Sinne der Wiederherstellung der staatlichen Einheit Deutschlands; es ist vielmehr das Herzensanliegen der Wiederherstellung demokratischer und menschenwürdiger Zustände in diesem Gebiet.‹

Ein neckischer Kobold, scheint mir, ist in jener Nacht nach der Sendung meines Interviews in jene Bonner Politiker gefahren, die das Wort ergriffen, hat auf meine Kosten einen Lärm erzeugt, der sich dann automatisch in der Presse fortsetzte.

Ein koboldischer Lärm entsteht plötzlich und hört auch sehr schnell auf. Aber das Problem, an dem er entfacht wurde, war längst und bleibt.«

Auf mein Interview erfolgte außer der öffentlichen Reaktion in der Presse durch Wochen hindurch eine Flut von Briefen. Unter diesen waren zahlreiche von spontaner Zustimmung aus einem eigenen Denken, das längst auf den gleichen Wegen ging. Sie haben mich sehr ermutigt. Ich danke ihnen. Zahlreiche andere stellten meine Positionen mit sinnvollen Argumenten in Frage. Ich hoffe, ihnen in dieser Schrift, soweit ich vermochte, geantwortet zu haben.

Aber zugleich kam eine große Menge von Briefen, die mir eine Realität zeigten, die ich vergangen glaubte. Die Stimmen des Wahns und der Unflätigkeit in dem aus der Hitlerzeit gewohnten Jargon wirkten auf mich alarmierend. Davor die Augen zu schließen, schien mir nach dem Geschehenen nicht erlaubt.

Der Wahn ist auch dort, wo Hitler und der Nationalsozialismus mit den entschiedensten Worten abgelehnt werden, dann aber sogleich die analoge, ja identische Denkungsart sich zeigt. In der Tat, Nationalsozialismus kehrt nicht wieder. Dasselbe Unheil nimmt andere Gestalten an.

Steht heute schon wieder neben der Einschüchterung durch Drohung die Angst, die stillbleibt, weil sie sich einschüchtern läßt?

offensiveness
obscenity

POLITISCHE DENKUNGSART IN DER BUNDESREPUBLIK HEUTE

Die Frage der Wiedervereinigung, im Interview nur ein Beispiel, wurde in der Öffentlichkeit zum einzigen Thema. Was ich in zwar entschiedenen Formulierungen diskutierte, das schien sich als undiskutierbar zu zeigen.

1. Politische Denkungsart überhaupt

Mir aber lag daran, aufmerksam zu machen auf die politische Denkungsart überhaupt. Damit die Bundesrepublik auf dem gelegten Grunde als Staat erst eigentlich wirklich werden könne, ist eine Wandlung im politischen Fühlen und Denken notwendig. Dieser Staat kann keinen Bestand haben durch Begründung auf ein außenpolitisches, für absehbare Zeiten irreales Ziel der Wiedervereinigung, sondern nur durch seine innere Verfassung: seine bisher nur äußerlich bestehende politische Freiheit bedarf der Verwirklichung durch die zu ihr gehörende politische Lebensform.

Die Leistung der deutschen Tüchtigkeit seit 1945 ist Gegenstand berechtigten deutschen Selbstbewußtseins und der Bewunderung seitens der Welt. Zerstörte oder demontierte Industrien, zerstörte Städte, Straßen, Bahnen, Brücken, Einströmen von Millionen aus dem Osten Vertriebener, von Stalin darauf angelegt, in Deutschland das unüberwindliche Elend zu schaffen, das zum Kommunismus reif macht, alles das wurde bewältigt. Die scheinbar vernichtenden Tatbestände wurden zu Faktoren der wirtschaftlichen Neuschöpfung. Planen und Wagen, unbegrenzter Fleiß vermochten diese Leistung zu vollbringen. Es setzte schon an in der Verwirrung der Zustände, wurde gefördert durch Marshallplan und die politische Stabilisierung mit Hilfe des Westens. Die eingeborene Unverwüstlichkeit des Arbeitswillens, der Sinn für Ordnung und Aufbau, die organisatorische Begabung bei den Deutschen hat das von niemandem Erwartete und Geglaubte vermocht bis zur nunmehr geschehenen Aufrüstung einer Armee höchster Qualität, wenn auch geringen Umfangs.

Nun ist aber dies alles auf Sand gebaut, wenn nicht die harte Einsicht dazu kommt, daß Wirtschaft und Armee zwar unentbehrlich, sie selber als solche aber nicht politisch, das heißt in bezug auf ihr Dasein im ganzen hilflos sind. Erst die Politik entscheidet über das Schicksal.

Politik kommt aus ganz anderen Ursprüngen als aus Wirtschaftsblüte und soldatischer Tüchtigkeit.

Wir Deutsche könnten es vielleicht besser als andere Völker wissen, daß viele Wirtschaftsführer und Generäle von großer Intelligenz, von hohen Qualitäten im Sachlichen ihres Berufs, politisch von kindlichen Emotionen bewegt und im Gegensatz zu ihrem beruflichen Denken unfähig im politischen Denken sein können. Weil sie ihren Beruf verstehen und hier die großen Erfolge haben, die ihnen den öffentlichen Glanz zuteil werden lassen, glauben sie, richtig führen zu können. Wir haben es erlebt, daß Armee und Wirtschaft sich Hitler zur Verfügung stellten, weil sie seine Pläne bejahten. Sie brachten dadurch nicht nur Zerstörung über Deutschland und seine Umwelt, sondern als ausführende Organe machten sie sich wider Willen und Wissen schließlich zu Teilhabern und Duldern von Verbrechen. Wir könnten klug geworden sein und es bleiben, wenn wir nicht vergessen.

Wenn aber Wirtschaftsführer und Generäle sich politisch urteilsunfähig erweisen können, so sind sie es doch nicht notwendig. Sie selber haben die Erfahrung gemacht wie alle Deutschen, jeder in seinem Gebiet. Die Hoffnung für die Bundesrepublik ist es, daß heute Wirtschaftsführer und Generäle aus den Erfahrungen sich bewußt geworden sind, wo die Grenzen ihrer Kompetenzen für sie als Fachleute liegen.

Als Staatsbürger aber hat jeder einzelne seine politische Urteilskraft und sein Ethos, das mehr ist als ein begrenztes Berufsethos und Berufskönnen. Jeder der Deutschen trägt für das Vergangene seine ihm eigene Haftung und Schuld, deren ehrliche Erinnerung er an seine konkreten Verhaltungsweisen knüpft.

Die Armee soll der Staatsregierung gehorchen. Aber nun fordern wir von der Armee ein Ethos, geboren aus der Tiefe des Volkes, aus dem sie sich rekrutiert. Dieses Ethos verlangt Ungehorsam, wenn eine Lage entsteht, in der die Regierung, wie auch immer zur Macht gekommen, Wege des Verbrechens geht, wie es schon 1933 und 1934 begann, um in den ungeheuren Ausmaßen während des Krieges zu enden. Das ist ein Widerspruch, der logisch nicht lösbar ist, sondern nur durch den Schicksalsentschluß führender Männer, die dann zwar Generäle, doch Staatsmänner sein müssen (bei uns konnten sie angesichts der 1933, spätestens 1934 offenbaren Verbrechen den Entschluß fassen). Solche Entschlüsse liegen am Grund aller menschlichen Dinge. Niemals kann dieser Ungehorsam juristisch gerechtfertigt werden. Ich kann die Sache hier nicht beiläufig genügend erörtern. Man muß wissen, daß der hier liegende Knoten zum Verhängnis der menschlichen Dinge gehört.

In der Bundesrepublik hat, solange wir diesen Staat wollen und seinen Chancen Vertrauen schenken, die Situation zwei Folgen für die Generäle:

Erstens können sie die in weitem Umfang, wenn auch nicht gänzlich verlorene Tradition nicht aus dem gebrochenen Offiziersethos des letzten Kriegs fortsetzen; von daher bleibt nur die fachliche Tüchtigkeit; sie aber ist als solche noch nicht der Gehalt einer Tradition.

Zweitens sind die Generäle verpflichtet, nicht ein öffentliches politisches Urteil als Repräsentanten der Armee für sich zu beanspruchen. Nur als Privatpersonen dürfen sie, wie alle Bürger, und dann ohne ihre Uniform, politisch urteilen. Welche Grenzen der Staat auch hier wie bei seinen Beamten setzt, ist nicht allgemein und vorweg zu bestimmen und in den Grundsätzen nur mit Zweidrittelmehrheit des Bundestages zu rechtfertigen.

Die Bundeswehr könnte keine reine innere Verfassung gewinnen, solange sie nicht ihr Vertrauen zur Regierung überhaupt, sondern nur zu bestimmter Parteiregierung hätte, oder anders: wenn sie nicht im Vertrauen zur Verwirklichung der Idee der Demokratie im Staate und für diese mitwirkend lebte, sondern ihre Vorbehalte machte und Bedingungen stellte.

Regierung der Bundesrepublik und Bundeswehr sind in der Wahrhaftigkeit ihrer Verwirklichung aneinander gebunden, auf Gedeih und Verderb. Schlimme Dinge müssen erwartet werden, falls diese Einmütigkeit der Deutschen im Staat und mit ihrer Bundeswehr nicht gelingt.

Daß es überhaupt Politik gibt, und daß Politik mit ganz anderem zu tun hat als mit planbarer Technik und Wirtschaft und Armee, ist ein Grundtatbestand unseres Daseins. Er wird verkannt. Politik geht auf dunkle Motive im Menschen zurück, die zwar zu blindem und abenteuerlichem, aber dem entgegen zu dem hellsichtigen und großen Wagnis und Opfer treiben können. Die Grenzsituation in Kampf und Gewalt bringt die Opferbereitschaft hervor, die das Größte möglich gemacht hat, in dem der Mensch sich selbst überschreitet.

Staatsmänner drangen in die dunklen Motivationen mit heller Vernunft ein, bei sich selber und den Völkern. Die überwältigende Kraft jener Motivationen gaben der Vernunft den Weg in der Wirklichkeit. Die Vernunft wurde nicht nur gedacht, sondern praktisch. Kleine, niedrige, herabziehende Motivationen wurden zu großen und hohen und beschwingenden. Es sind Männer höchsten Ranges, die den an sie gerichteten Ruf des Schicksals hören und es wagen, ihm zu folgen. Sie werden, die bloßen Politiker hinter sich lassend, die Retter der Menschheit sein. In der entmutigenden Realität der Politik von heute können sie das Ziel nur erreichen, wenn viele mit ihnen denken, sie verstehen, sie tragen. Nur wenn politische Denkungsart sich verbreitet, können Staatsmänner die Wege führen.

Daß in der Politik die Motive sich erhellen, und daß das große gemeinsame Ziel, die politische Freiheit, zum maßgebenden Ziel werde, ist die Schicksalsfrage der Menschheit. Heute ist die Antwort auf diese Frage zugleich zur Entscheidung über Sein oder Nichtsein der Menschheit geworden.

2. Ungewissheit in der Bundesrepublik

Viele erschrecken: Auf wie schwankendem Boden stehen politische Freiheit und vielleicht sogar die Wirtschaftsblüte der Bundesrepublik! Andere spüren es dunkel. Wie 1933 bedrohliche Erscheinungen und Handlungen, in ihrer Bedeutung nicht genügend erkannt, vorausgegangen waren, bis dann in Ratlosigkeit, Irrtum, Wahn, gedankenlos wildem Macht- und Gehorsamswillen Deutschland sich selber die Vernichtung zufügte, die zwölf Jahre später im staatlichen Untergang 1945 ihren Abschluß fand, so könnte es zwar in allem Besonderen anders, aber in Analogie dazu noch einmal geschehen. Wenn die Bundesrepublik ihre Regierung ständig auf die Nachgiebigkeit gegenüber vernunftwidrigen Wählerstimmen gründet, wenn sie nicht unablässig über parteipolitische Stellungen hinaus mitarbeitet an der großen politischen Selbsterziehung des Volkes, wenn sie staatswidrige Aktionen von Verbänden und Parteien stillschweigend duldet oder gar fördert, statt sie offen im geistigen Raum ohne Diffamierung bloßzustellen, wenn sie sich unfähig erweist, die freiheitsgemäßen geistigen Kräfte zu finden gegen freiheitswidriges Schrifttum und Presse, dann kann sie schließlich in einer neuen Situation schnell zugrunde gehen. Wenn aus der Bundesrepublik wieder Mächte des pseudo-wissenschaftlichen Wahns, der Lust an selbstgewissen Demagogen des Heils und an blinder Unterwerfung erwachsen, und wenn sie dann das Vertrauen der abendländischen Gemeinschaft verlöre, schließlich im Stich gelassen würde von deren Schutz, dann könnte sie eines Tages im russischen statt im nationalsozialistischen Totalitarismus untergehen.

Das wird nicht geschehen, wenn die Deutschen in der Bundesrepublik den Ernst politischer Denkungsart gewinnen. Es könnte aber geschehen, wenn die Deutschen keine Erneuerung in einem der Weltsituation gemäßen freien Staate und seiner Vernunft fänden.

3. Politische Bescheidung in der Solidarität

Die Grundfrage der Welt ist heute und wird es bleiben: Totaler Staat oder politische Freiheit? Einen Kompromiß zwischen beiden Herrschaftsstrukturen gibt es nicht. Der Schein solchen Kompromisses ist immer der Weg zur vollständigen totalen Herrschaft.

Realitätswidriger Trotz, illusionärer Drang nach einem durch Vergangenheit gesicherten festen Punkt halten in manchen Deutschen den Glauben aufrecht an die Chance einer machtpolitischen nationalen Einheit (meistens werden dann die Grenzen von 1937 als maßgebend angesehen). Diese Deutschen sehen nichts anderes. Denn augenblicklich scheinen wir politisch noch aus dem Bodenlosen zu leben. Ein neuer Staat ist da, aber nur als Chance und noch zu schaffen, hoffentlich bald zwei neue Staaten. Das verlangt aber eine neue politische Denkungsart.

Ihre Voraussetzung ist: Wir können uns nicht allein helfen, sondern nur in Solidarität mit dem gesamten freien Abendland. Der Stolz eigener Souveränität, die alle anderen als Objekt behandelt und als Mittel benutzt, verwandelt sich in den Stolz abendländischer Vernunft, die im Verbündeten sich selbst erblickt. Diese Verbündeten gehören nicht einer Koalition an, wie sie in früherer europäischer Politik jeweils für Zeit und in wechselnden Kombinationen geschlossen wurde, sondern sie gehören einer dauernden Gemeinschaft an, deren Kraft erst noch wachsen muß und deren Bruch den Untergang der Freiheit aller bedeutet. Der neue Stolz braucht jene absolute Souveränität der nationalen Staaten nicht mehr, weil sie der eigenen Vernunft widerspricht.

Dieser Stolz wird bescheiden, aber die Bescheidenheit ist nicht Schwäche. Das Drängen, Provozieren, der Übermut aus nationalen Souveränitätsgelüsten sind nicht Stärke.

Solidarität fordert, den gemeinsamen Boden niemals, auch bei stärksten Konflikten nicht preiszugeben, vielmehr gegenseitig füreinander miteinander vernünftig zu werden. Gleichberechtigung heißt nicht Recht auf unsolidarische Eigenmächtigkeit, wohl aber das Recht, die Gründe des für das Ganze notwendigen Handelns vorzubringen und auf sie zu hören. Wer, für sich allein ohnmächtig, nur als Glied eines Ganzen bestehen kann, hat im Falle von Meinungs- und Interessenverschiedenheiten nur einen Weg: mit Vernunft den Mächtigeren zu überzeugen, durch die eigene in innerer Solidarität denkende Staatsgestaltung dem Mächtigeren Eindruck zu machen, aber im Streitfalle sogar dem zu folgen, dem man nicht zustimmt, wenn man nur alle geistige Energie zur Überzeugung aufgewandt und jeden falschen Ton gemieden hat. In dem Maße wie man verläßlich die Vernunft zur Geltung kommen läßt, wird sie auch wirklich. Es entsteht gegenseitig Vertrauen und Achtung.

Es gab einst den Mut, auf Grund eigener Kraft, im Bewußtsein von deren Verantwortung, das große Wagnis einzugehen. Es ist ein anderer Mut, der bei eigener unzureichender Kraft, im Vertrauen auf das Ganze der abendländischen freien Völker, mit dem Einsatz dieser Kraft in nicht geringerer Verantwortung alles wagt. Hätten die Berliner sich einschüchtern lassen, dann hätte der Westen sie nicht schützen können. Der Mut selber überzeugte und verpflichtete die Westmächte.

4. Vertrauen in der Solidarität

Es ist ein schlechter Boden, statt wirklich zu vertrauen, auf die eigene Unentbehrlichkeit zu rechnen und darauf Forderungen zu gründen. Wenn wir auch in dem wandelbaren weltstrategischen Konzept Amerikas und der Westmächte ein wichtiger Punkt sind, so sind wir für den Sinn vieler Amerikaner doch nicht absolut unentbehrlich. Auch wenn Amerika dabei sich in bezug auf die Chancen seiner eigenen Selbstbehauptung täuschen würde, wovon wir überzeugt sind, stehen wir doch immer vor der Möglichkeit, daß Amerika uns uns selber überläßt, wenn das gegenseitige Vertrauen nicht ständig vertieft wird. Wir würden dann zum russischen Satelliten und nun mit allen unseren Kräften erbarmungslos zum Kampf gegen Amerika eingesetzt werden.

Dies kann nur dann ausbleiben, wenn das Vertrauen des Abendlandes zu uns und unser Vertrauen zu ihm so stark werden, daß eine totale Verletzung der Treue nicht mehr möglich ist. Dies setzt auf beiden Seiten voraus, daß wir selber in unserer Demokratie die politische Vernunft entwickeln. Noch aber verwirklichen wir nicht einmal innerhalb der Bundesrepublik das gegenseitige Vertrauen der Parteien, das auf der Unverletzlichkeit des gemeinsamen Bodens in der politischen Freiheit und seines Ethos sich gründet, ein schauriges Menetekel.

Dem weniger Mächtigen oder Ohnmächtigen wird nicht vertraut, wenn von ihm nicht die hegemoniale Macht der abendländischen Gemeinschaft als solche anerkannt wird. Er darf nicht dem Selbstbehaup-

warning sign

tungsinteresse des Ganzen widerstrebende Motive in sich zur Geltung kommen lassen und gar, im Schein einer nicht vorhandenen eigenen Macht, sie übermütig kundgeben. Der ehrliche Mut setzt voraus, daß ich dem, der mich schützt und dem ich helfe, nicht mit Widerwillen begegne. Das Vertrauen fordert Gegenseitigkeit.

5. Politische Zukunft der Bundesrepublik

Ich möchte nicht mit einer Fanfare schließen. Die Begeisterung, es gehe alles in Ordnung, die Zufriedenheit mit dem Erreichten, die Gewißheit, das große Ziel der Freiheit werde gewonnen, sind eine Gefahr. Denn auf dem Wege zur politischen Freiheit kommt nichts von selbst. Was kommen soll, braucht den Einsatz der in ihrer Vernunft opferbereiten Menschen, jedes einzelnen, oder es kommt nicht. Es ist kein Geschichtsprozeß, auf den man rechnen dürfte. Daher ist es besser, der Fraglichkeit sich bewußt zu sein, wenn sie nur anspornt, bei Gefahr in der Welt erst recht für die Freiheit zu wirken.

In der politischen Bodenlosigkeit griff die Bundesrepublik nach Vergangenem. Der neue Staat sollte die Fortsetzung des nach der Zerstörung wieder aufzurichtenden Alten sein.

Es bestand eine Kontinuität der geltenden Gesetze, der Grenzen der Gemeinden und Städte, der geschichtlichen Erinnerung durch noch gerettete Bauten. Geblieben waren die unzerstörten, gleichsam ewigen deutschen Landschaften, die Meere, Ströme, Wälder, Berge und Felder. Man darf hoffen, daß geistige Motive aus dieser Vergangenheit her fortwirken, so die Strenge und Verläßlichkeit preußischen Beamtentums, die menschliche Liberalität des nicht weniger verläßlichen süddeutschen Beamtentums und der hier nicht darzustellenden unermeßlichen Welt, die wir als deutsch fühlen.

Aber das alles ist die Kontinuität der Deutschen, nicht des deutschen Staats. Vergeblich wurde die Kontinuität unter anderem etwa durch Übernahme von Verpflichtungen Gesamtdeutschlands aus der Vergangenheit stellvertretend formell zu verwirklichen versucht. Trotz solcher Versuche ist die politische Kontinuität des Staats in der Tat unterbrochen. Denn der Geist des neuen Staats, der zu gründen ist, konnte nicht die Fortsetzung preußischen politischen Denkens und nicht die Fortsetzung nationalstaatlichen Denkens sein. Beides hatte einst Sinn und Chance. Heute aber verhindert dessen Fortbestehen in Motivationen das Ergreifen der eigentlich neuen Aufgabe in der gegenwärtigen Weltlage.

Werden die neuen Staatsmänner mit genügender Kraft und in gemeinsamem Wirken auftreten? Die Mehrzahl der besten haben wir durch den Krieg und infolge des 20. Juli verloren und gerade die, die heute politisch unentbehrlich sind. Wären sie da, so wäre vielleicht gleich nach 1945 das politische Ethos, die Wahrhaftigkeit der Zielsetzung und die politische Luft überhaupt reiner geworden.

Heute beginnt eine neue Jugend sich zu zeigen. Wenn sie reif wird, könnte sie, unbefangen, aus den großen Überlieferungen in neuer Ursprünglichkeit den Staat mit dem Ethos erfüllen, das ihm Sinn gibt. Das politische Verantwortungsbewußtsein der Staatsbürger kann dem Totalitarismus aus eigener größerer Kraft widerstehen, wenn Klarheit über das Wesen der politischen Freiheit herrscht. Wenn diese als Bedingung der Möglichkeit aller Menschenwürde und ihrer Entfaltungen in der Welt begriffen ist, dann befähigt sie den von ihrer Idee Ergriffenen zu den größten Opfern.

Oder ist nichts zu erwarten, weder von dem Typus der heutigen Politiker, noch von der Jugend, noch von dem, was in der deutschen Seele schlummert? Sind die Deutschen in der Mehrzahl dieselben geblieben wie sie zur Hitlerzeit waren, bereit, sich von solch einer Kreatur zur Macht in der Welt bringen zu lassen, und, einmal zur Macht gekommen, fähig, auf dessen Befehl alles, was verlangt wird, auszuführen? Werden sie doch auf andere Weise wieder dasselbe tun, was die zwölf Jahre ihnen aufzwangen und wozu sie aus eigenen Antrieben beitrugen? Es gibt manche inner- und außerhalb Deutschlands, die so denken. Ein für allemal haben sie kein Vertrauen mehr zu Deutschen.

Ich glaube diesem totalen Pessimismus nicht. Die Tatsache deutscher Menschen, die wir heute sehen, widerlegt ihn. Es kommt aber darauf an, welche Menschen und ob es die Besten sein werden, die in Deutschland zur Führung und Geltung gelangen. Wer sollte unter den Jungen den Mut verlieren, solange er selber da ist und seinerseits die vernünftigen und liebenden Menschen sieht, die es gibt! Aber die Angst auf Grund der Erfahrungen seit Jahrzehnten darf sich nicht leichtsinnig beruhigen. Jedes Symptom der alten bösen und dummen Antriebe muß erkannt, das ihm Zugrundeliegende aufgedeckt und bekämpft werden, offen, rückhaltlos, eindringlich, ruhig, ohne vernichtendes Schimpfen, aber auch ohne freundliche Verschleierung und beschwichtigendes Verstehen.

NACHBEMERKUNG ZUR NEUAUSGABE

Als am 10. August 1960 das Fernsehen des Norddeutschen Rundfunks ein Gespräch zwischen Karl Jaspers und Thilo Koch ausstrahlte, in dem der Philosoph, eher en passant, »die Forderung der Wiedervereinigung« für »politisch und philosophisch... irreal« erklärte, da sie sich am Maßstab des Bismarckstaates statt am allein entscheidenden Maßstab der Freiheit Ostdeutschlands orientiere, brach in der Bundesrepublik, quer durch alle Parteien und die ganze Medienlandschaft, ein Sturm der Entrüstung los. Adolf Arndt, der Kronjurist der SPD, hielt es für »eine blutleere Illusion, anzunehmen, ohne Wiedervereinigung sei für die unterdrückten Deutschen östlich des Eisernen Vorhangs je die Freiheit im europäischen Sinne erreichbar«. Die »Süddeutsche Zeitung« gar ahnte das Ende herbeikommen: »Was Jaspers empfiehlt, wäre... ein Deutschland in Auflösung. Nach unerbittlichen Gesetzen der politischen Machtwelt würde es untergehen.« Arnold Künzli berichtete damals aus Bonn in der »Basler Nationalzeitung«: »Karl Jaspers hat mit einem Fernsehinterview den empörten Widerspruch von Parteien, politischen Organisationen und Tageszeitungen der Bundesrepublik ausgelöst. Noch nicht einmal Chruschtschow war es vergönnt, eine derartige Demonstration der Einheit auszulösen.« In die Phalanx reihte sich selbst das Zentralorgan der SED »Neues Deutschland« ein, wenn auch mit anderen Argumenten: es müsse lediglich »der Militarismus der Bundesrepublik« beseitigt werden, dann stehe »der Weg zur Konföderation, zur Annäherung der beiden deutschen Staaten und schließlich zur Wiedervereinigung offen«.

Jaspers war über soviel Aufregung erstaunt. In fünf Aufsätzen präzisierte er in der »Zeit« seine Gedanken zur Wiedervereinigung. Die Artikel brachten ihm eine Flut meist feindlicher Leserbriefe ein. »Die Stimmen des Wahns und der Unflätigkeit in dem aus der Hitlerzeit gewohnten Jargon wirkten auf mich alarmierend.« Er entschloß sich deshalb, die Artikel zu einer Schrift zu erweitern, die unter dem Titel »Freiheit und Wiedervereinigung« noch im selben Jahr erschien.

Diese Schrift entwarf kein Programm. Sie entfaltete vielmehr einen weiten Fächer der Möglichkeiten: Was wäre, wenn die Sowjetunion sich eines Tages ihres europäischen Erbes erinnerte? Wenn Ostdeutschland freie Wahlen hätte? Wenn die Bundesrepublik Einheit vor Freiheit setzte? Wenn es zu einer Konföderation zweier unabhängiger Staaten käme? Wenn die Wiedervereinigung in Freiheit möglich werden sollte? All das muß, so riet Jaspers damals, sogleich und in allen realen Situationen neu bedacht werden, damit man nicht eines Tages von den Ereignissen überfahren wird. Denn die Freiheit Ostdeutschlands kommt »vielleicht schneller, als man heute denkt«.

Programmatisch war nur die Hierarchie der Aufgaben: Wichtiger als die Einheit ist die Freiheit Deutschlands; denn sie trägt den Sinn in den deutschen Staat. Wichtiger als die deutsche Frage ist die »konföderative Einheit Europas«; denn sie rettet die Freiheit für die Menschheit. Wichtiger als die europäische Frage ist »die Idee des Weltfriedens in Freiheit durch eine... Weltkonföderation«; denn sie rettet das Dasein der Menschheit.

Um im Rahmen dieser Aufgaben die Möglichkeiten Deutschlands samt ihren Alternativen öffentlich zu bedenken, braucht es Mut. »In der Bundesrepublik, so scheint es, würde keine Partei heute den Wahlkampf riskieren, ohne sich zur Forderung der Wiedervereinigung zu bekennen. Hier hört das Denken auf. Keine Partei wagt, unter Preisgabe der Wiedervereinigung allein auf Freiheit zu bestehen.« Er würde die Klagen heute wohl wiederholen, samt der Mahnung: »Würde die Wiedervereinigung aus dem Geist des... deutschen Machtwillens erfolgen, dann wäre sie sogar ein Unheil.«

Basel, im März 1990 Hans Saner

Karl Jaspers

Der Arzt im technischen Zeitalter
Technik und Medizin, Arzt und Patient, Kritik der Psychotherapie.
122 Seiten. Serie Piper 441

Die Atombombe und die Zukunft des Menschen
Politisches Bewußtsein in unserer Zeit.
505 Seiten. Serie Piper 237

Augustin
86 Seiten. Serie Piper 143

Chiffren der Transzendenz
Hrsg. von Hans Saner. 111 Seiten. Serie Piper 7

Denkwege
Ein Lesebuch.
Auswahl und Zusammenstellung der Texte von Hans Saner.
157 Seiten. Serie Piper 385

Einführung in die Philosophie
Zwölf Radiovorträge. 128 Seiten. Serie Piper 13

Die großen Philosophen
968 Seiten. Serie Piper 1002

Die großen Philosophen
2 Bde. Hrsg. von Hans Saner unter Mitarbeit von Raphael Bielander.
Zus. 1246 Seiten. Leinen

Kant
Leben, Werk, Wirkung.
230 Seiten. Serie Piper 124

Kleine Schule des philosophischen Denkens
183 Seiten. Serie Piper 54

Karl Jaspers

Die maßgebenden Menschen
Sokrates, Buddha, Konfuzius, Jesus. 210 Seiten. Serie Piper 126

Notizen zu Martin Heidegger
Hrsg. von Hans Saner. 351 Seiten. Serie Piper 1048

Nicolaus Cusanus
271 Seiten. Serie Piper 660

Philosoph, Arzt, politischer Denker
Symposium zum 100. Geburtstag in Basel und Heidelberg.
Hrsg. von Jeanne Hersch, Jan Milič Lochmann und Reiner Wiehl.
308 Seiten. Serie Piper 679

Philosophische Autobiographie
136 Seiten. Serie Piper 150

Der philosophische Glaube
136 Seiten. Serie Piper 69

Der philosophische Glaube angesichts der Offenbarung
576 Seiten. Leinen

Plato
96 Seiten. Serie Piper 47

Psychologie der Weltanschauungen
515 Seiten. Serie Piper 393

Die Schuldfrage
Zur politischen Haftung Deutschlands. 89 Seiten. Serie Piper 698

Spinoza
154 Seiten. Serie Piper 172

Hannah Arendt / Karl Jaspers

Briefwechsel 1926–1969

Herausgegeben von Lotte Köhler und Hans Saner.
859 Seiten. Leinen im Schuber

In der Geschichte des Denkens ist dies die bisher einzige umfangreiche Korrespondenz zwischen einer Philosophin und einem Philosophen, die veröffentlicht wird. Sie umfaßt 29 Briefe aus der Vorkriegszeit (1926–38) und 403 aus der Zeit von 1945 bis 1969, dem Todesjahr von Karl Jaspers. Mit Ausnahme weniger Briefe, die z. Z. als verloren gelten müssen, ist die Korrespondenz vollständig.
Sie wird durch wenige Briefe der beiden Ehepartner – Gertrud Jaspers und Heinrich Blücher – ergänzt, wo die Gesprächslage es erfordert. Ein umfangreicher Anhang bringt die nötigen Erklärungen über Personen und Ereignisse, auf die Bezug genommen wird; ein Personen- und ein Werkregister schlüsseln die Ausgabe auf.
Man darf ohne Übertreibung sagen, daß dieser Briefwechsel eines der großen Dokumente unserer Zeit ist. In ihm spiegelt sich die Zeitgeschichte der ersten Nachkriegsjahrzehnte: der Berliner Aufstand, die ungarische Revolution, der Mauerbau, der Eichmann-Prozeß, die Kubakrise, die Ermordung Kennedys, der Vietnamkrieg, der 7-Tage-Krieg Israels bis hin zu den weltweiten Studentenunruhen von Berkeley bis Berlin. Problemkomplexe der deutschen und internationalen Geschichte und Politik – die deutsche Schuldfrage, der Widerstand gegen den Nationalsozialismus, die Atombombe, die amerikanischen Verhältnisse, die Anerkennung der DDR, die Berlinfrage, das Judentum und Israel, der Ost-West-Konflikt – werden ausführlich erörtert.
Zugleich wird die Lebensgeschichte zweier Menschen bis ins Detail sichtbar, die das Stigma der Zeit – die nationale Bodenlosigkeit – als Chance bejahen.
Die Freundschaft wurde im Laufe der Jahre so verläßlich, daß beide Partner einander nichts verschweigen mußten. Die Offenheit einer sehr klugen, oft visionären Frau von hinreißendem Temperament und die eines in der Unbestechlichkeit rücksichtslosen, aber in der Vernunft kommunikativen Denkers begegnen einander und werden sich zu einer Art Heimat.
Der Briefwechsel zeichnet das Persönlichkeitsprofil der beiden Gestalten direkt und indirekt mit verläßlicher Exaktheit auf, er wird zu einem vielfältigen Spiegel der in Einzelheiten so verschiedenen und letztlich doch verwandten Denkungsarten. Darüberhinaus ist er ein wirkliches Lesevergnügen: belehrend, unterhaltend und beeindruckend zugleich für jeden, der sich für die kulturelle und politische Geschichte unseres Jahrhunderts interessiert.

PIPER

Serie Piper aktuell

Hildegard Hamm-Brücher
Der freie Volksvertreter – eine Legende?
Erfahrungen mit parlamentarischer Macht und Ohnmacht
Unter Mitarbeit von Marion Mayer.
361 Seiten. Serie Piper 1031

Hildegard Hamm-Brücher
Der Politiker und sein Gewissen
Eine Streitschrift für mehr parlamentarische Demokratie
174 Seiten. Serie Piper 437

»Historikerstreit«
Die Dokumentation der Kontroverse um die Einzigartigkeit der nationalsozialistischen Judenvernichtung
Texte von Rudolf Augstein, Karl Dietrich Bracher, Martin Broszat, Micha Brumlik, Walter Euchner, Joachim Fest, Helmut Fleischer, Imanuel Geiss, Jürgen Habermas, Hanno Helbling, Klaus Hildebrand, Andreas Hillgruber, Eberhard Jäckel, Jürgen Kocka, Robert Leicht, Richard Löwenthal, Christian Meier, Horst Möller, Hans Mommsen, Wolfgang J. Mommsen, Thomas Nipperdey, Ernst Nolte, Joachim Perels, Hagen Schulze, Kurt Sontheimer, Michael Stürmer, Heinrich August Winkler.
397 Seiten. Serie Piper 816

Peter Kafka / Heinz Maier-Leibnitz
Kernenergie – Ja oder Nein
Eine Auseinandersetzung zwischen zwei Physikern. Vorwort von Hubert Markl.
287 Seiten. Serie Piper 739

Katholische Kirche – wohin?
Wider den Verrat am Konzil. Hrsg. von Norbert Greinacher und Hans Küng.
467 Seiten. Serie Piper 488

Thomas Kruchem
Brücken über die Apartheid
Gespräche im Südafrika des Ausnahmezustands
Mit Essays von Arnulf Baring und Walter Hättig sowie einem Glossar von Robert von Lucius. 345 Seiten. Serie Piper 737

Piper 54/11 b

PIPER

Serie Piper aktuell

Wolfgang Günter Lerch
Der Golfkrieg
Ereignisse, Gestalten, Hintergründe. 160 Seiten. Serie Piper 956

Hubert Markl
Evolution, Genetik und menschliches Verhalten
Zur Frage wissenschaftlicher Verantwortung
131 Seiten. Serie Piper 623

Hubert Markl
Wissenschaft: Zur Rede gestellt
Über die Verantwortung der Forschung
184 Seiten. Serie Piper 1039

Münchner Perspektiven
Wohin treibt die Weltstadt mit Herz?
Herausgegeben von Christian Ude. Mit einem Nachwort von Georg Kronawitter.
Mit 9 Karikaturen von Hansjörg Langenfass. 239 Seiten. Serie Piper 1230

Reinhard Rode
Die Zeche zahlen wir – Der Niedergang
der amerikanischen Wirtschaft
181 Seiten. Serie Piper 920

Christian Schmidt-Häuer
Michail Gorbatschow
Moskau im Aufbruch
Mit einem Essay »Vom Soll und Haben des neuen Mannes:
Etappen und Chancen einer Wirtschaftsreform« von Maria Huber.
367 Seiten. Serie Piper 467

Christian Schmidt-Häuer / Maria Huber
Rußlands zweite Revolution
Chancen und Risiken der Reformpolitik Gorbatschows
208 Seiten. Serie Piper 832

Serie Piper aktuell

Wolfgang Seiffert
Das ganze Deutschland
Perspektiven der Wiedervereinigung. 377 Seiten. Serie Piper 683

Antonio Skármeta
Heimkehr auf Widerruf
Chile im Umbruch?
Politische Reflexionen. 195 Seiten mit 11 Abbildungen, biographischer Notiz und Werkverzeichnis. Serie Piper 1138

Michael Stürmer
Deutsche Fragen oder Die Suche nach der Staatsräson
Historisch-politische Kolumnen. 211 Seiten. Serie Piper 957

Roland Tichy
Ausländer rein!
Warum es kein »Ausländerproblem« gibt
165 Seiten. Serie Piper 908

»Was ist des Deutschen Vaterland?«
Dokumente zur Frage der deutschen Einheit 1800–1990
Hrsg. von Peter Longerich.
285 Seiten. Serie Piper 1269

Michael Wolffsohn
Ewige Schuld?
40 Jahre deutsch-jüdisch-israelische Beziehungen
187 Seiten. Serie Piper 985

Piper 54/2d

John Bowle

Geschichte Europas

Von der Vorgeschichte bis ins 20. Jahrhundert
Aus dem Englischen von Hainer Kober. 720 Seiten. Serie Piper 424

Dieses Werk des Oxforder Historikers ist eine umfassende, ungemein spannend erzählte Darstellung der Geschichte Europas in einem Band, für die es auf dem deutschen Markt kein zweites Beispiel gibt. Gestützt auf eine Fülle von Quellenmaterial und reiche Literaturkenntnis gelang Bowle eine meisterhafte Beschreibung der miteinander verwobenen Strömungen der verschiedenen Kulturen Europas. Wir erleben die stete Wechselwirkung von Politik und Kultur. So entfaltet sich vor unseren Augen das ganze Spektrum der europäischen Geschichte von prähistorischer Zeit bis hin zur neuzeitlichen Entwicklung von Nationalstaat und Demokratie nach der industriellen Revolution. Bowle endet seine Darstellung mit dem Jahr 1939.

»Bowles Fähigkeit, anschaulich und engagiert Tatsachen und Zusammenhänge zu verdeutlichen, der trockene Witz seiner historischen Porträtkunst, die Entschiedenheit des Urteils, aber auch die keineswegs nur den Deutschen geltende Skepsis machen sein Werk in einer Zeit ›maschinenseliger Neobarbarei‹ vor allem als Einführung junger Menschen in die Geschichte so wichtig.
Denn seine ›Geschichte Europas‹ ist nicht nur beschauliche Lust an Altem und Anekdotischem, ein Karneval der Kuriositäten, ein Führer zu großen Kunstwerken, eine Entdeckungsreise zu fernen und fremden Kontinenten der Zeit, sondern ebenso und vor allem ein Memento der Macht: Erinnerung an Versäumtes, Abrechnung mit blinden Gewalten und verblendeten Gewalthabern, Mahnung für die Zukunft, die einem Kontinent gilt, der einst der Welt die Gesetze gab und jetzt nur noch die Klinken- und Schuhputzer der Supermächte zu stellen scheint.«

Der Spiegel

PIPER

Pipers Handbuch der politischen Ideen

Herausgegeben von Iring Fetscher und Herfried Münkler

Bereits erschienen:

Band 1

Frühe Hochkulturen und europäische Antike
648 Seiten. Leinen

Band 3

Neuzeit: Von den Konfessionskriegen
bis zur Aufklärung

670 Seiten. Leinen

Band 4

Neuzeit: Von der Französischen Revolution
bis zum europäischen Nationalsozialismus

624 Seiten. Leinen

Band 5

Neuzeit: Vom Zeitalter des Imperialismus bis zu den
neuen sozialen Bewegungen

661 Seiten. Leinen

In Vorbereitung:

Band 2

Mittelalter: Von den Anfängen des Islams
bis zur Reformation

»Pipers Handbuch der Politischen Ideen« bietet in 5 Bänden einen umfassenden Überblick über die Geschichte politischen Denkens von den frühen Hochkulturen bis zu den neuen sozialen Bewegungen unserer Zeit. In der Darstellung des Wechselspiels von Denken und Gesellschaft entsteht zugleich ein lebendiges Bild der Zeiten. Ein unentbehrliches Werk für Forschung und Lehre, aber auch für alle politisch, historisch und philosophisch Interessierten.

Piper 62/2a

PIPER

Pipers Wörterbuch zur Politik

Herausgegeben von Dieter Nohlen

Band 1:

Politikwissenschaft

Theorien – Methoden – Begriffe
Herausgegeben von Dieter Nohlen und Rainer-Olaf Schultze
Halbband 1: Abhängigkeit – Multiple Regression.
Halbband 2: Nation-building – Zweiparteiensystem.
1183 Seiten mit 9 Tabellen und 15 Abbildungen.
Serie Piper 1150/1151

Band 2:

Westliche Industriegesellschaften

Wirtschaft – Gesellschaft – Politik
Herausgegeben von Manfred G. Schmid
558 Seiten mit 69 Tabellen und 14 Abbildungen. Kt.

Band 3:

Europäische Gemeinschaft

Problemfelder – Institutionen – Politik
Herausgegeben von Richard Woyke
471 Seiten. Kt.

Band 4:

Sozialistische Systeme

Politik – Wirtschaft – Gesellschaft
Herausgegeben von Klaus Ziemer
590 Seiten. Serie Piper 1154

Pipers Wörterbuch zur Politik

Herausgegeben von Dieter Nohlen

Band 5:

Internationale Beziehungen

Theorien – Organisationen – Konflikte
Herausgegeben von Andreas Boeckh
583 Seiten. Kt.

Band 6:

Dritte Welt

Gesellschaft – Kultur – Entwicklung
Herausgegeben von Dieter Nohlen und Peter Waldmann
753 Seiten. Kt.

»Pipers Wörterbuch zur Politik verspricht ein unentbehrliches Nachschlagewerk zu werden.« Prof. Dr. Kurt Sontheimer

»Wenn die übrigen fünf Bände des Gesamtwörterbuches den Standard halten, den der erste Band gesetzt hat, dürfte das Gesamtwerk eine lohnende, kenntnisreiche und gut lesbare Enzyklopädie zur Politik abgeben.
Mit sachlicher Knappheit und Präzision, unterschiedliche Auffassungen und Lehrmeinungen gleichermaßen darstellend, bieten die drei- bis fünfseitigen Kapitel je Stichwort den Benutzern Informationen und Denkanstöße zugleich. Statistisches Material reichert die Informtionen an, je Stichwort gibt eine Literatursammlung Hinweise für jene, die sich mit einem Thema intensiver befassen wollen. Von Agrarpolitik über Bankpolitik, politische Eliten bis zu Wohlfahrtsstaat und Wohnungspolitik reichen die Stichworte.« Capital

Piper 61/1 b

PIPER